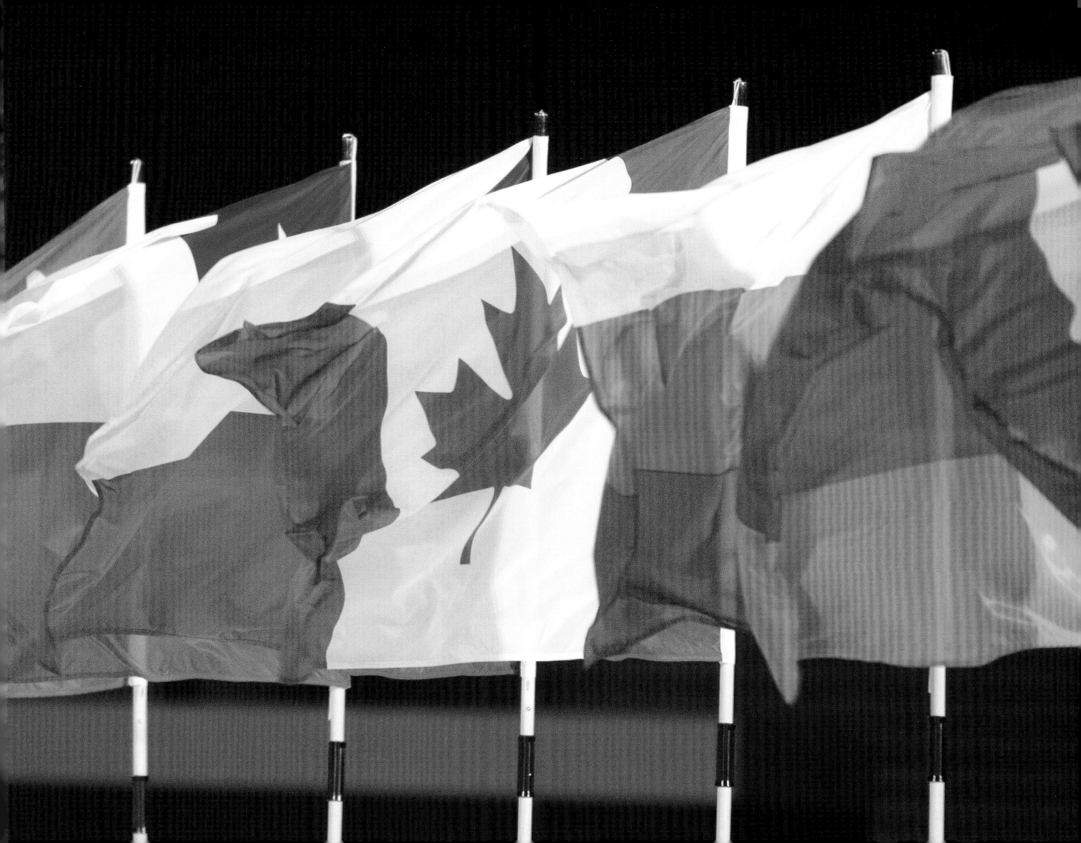

WINNING

A CELEBRATION OF **PARALYMPIC SPORT** IN CANADA

GAGNER

UN HOMMAGE AU **SPORT PARALYMPIQUE** AU CANADA

Chantal Petitclerc, Athens/ Athènes
photo: Benoit Pelosse

previous pages/ pages précédente

Turin 2006.
photo: Benoit Pelosse

Brian McKeever, Turin 2006.
photo: Benoit Pelosse

Billy Bridges, Turin 2006.
photo: Benoit Pelosse

Andrea Cole, Athens/ Athènes 2004
photo: Benoit Pelosse

Canadian | Comité
Paralympic | paralympique
Committee | canadien

CONTACT INFORMATION:

CPC National Office
85 Albert St., Suite 1401
Ottawa, Ont. K1P 6A4
Tel: 613-569-4333
Fax: 613-569-2777

Vancouver Office
385 Gravely St., 7th Floor
Vancouver, BC V5K 5J5
Tel: 604-678-6240
Fax: 604-678-2554

Email: feeltherush@paralympic.ca

www.paralympic.ca

To find out how to participate in Paralympic Sport:
www.paralympic.ca/feeltherush

POUR NOUS JOINDRE

Bureau national du CPC
85 rue Albert, Bureau 1401
Ottawa, Ont K1P 6A4
Tél. : 613-569-4333
Télec : 613-569-2777

Bureau de Vancouver
3585 rue Gravely, 7e étage
Vancouver, CB V5K 5J5
Tél. : 604-678-6241
Télec : 604-678-2554

Courriel : vivezladrenaline@paralympique.ca

www.paralympique.ca

Pour plus d'information sur la façon de participer au sport paralympique, allez à :
www.paralympique.ca/vivezladrenaline

ABOUT THIS BOOK:

Author/photo selection: **Phil Newton**
Design: **Ken Seabrook**
Project direction: **Phil Newton** and **Greg Lagacé**

Winning was commissioned by the Canadian Paralympic Committee, Paralympic Sport Development Branch; Greg Lagacé, Manager.

The Canadian Paralympic Committee thanks the Ontario Trillium Foundation for its financial support and the following individuals for their contribution: Andrea Robinson, Ginette Nadeau (translation services), Sophie Castonguay and the superb photographers whose credits appear in the photo captions.

Printed in Canada by Friesens

À PROPOS DE CE LIVRE:

Auteur/ chef des photos : **Phil Newton**
Désinnateur Graphique : **Ken Seabrook**
Direction : **Phil Newton** et **Greg Lagacé**

Gagner a été commandé par le Comité paralympique canadien, departement du développement paralympique; Greg Lagacé, gestionnaire.

Le Comité paralympique canadien tient à remercier la Fondation Trillium de l'Ontario de son appui financier et les personnes suivantes de leur appui technique : Andrea Robinson, Ginette Nadeau (traduction), Sophie Castonguay et les photographes dont le nom apparaît dans les références photographiques des superbes photos illustrant cet ouvrage.

Imprimé au Canada par Friesens

Matthew Hallat, Turin 2006
photo: Benoit Pelosse

CANADIAN PARALYMPIC COMMITTEE

The Canadian Paralympic Committee (CPC) is a
not-for-profit, charitable, private organization sanctioned
by the International Paralympic Committee (IPC). The
CPC grows and promotes the Paralympic Movement in
Canada by delivering programs that empower persons with
physical disabilities through sport at all levels, including
sending Canadian teams to the Paralympic Games.

COMITÉ PARALYMPIQUE CANADIEN

Le Comité paralympique canadien (CPC) est une société
de bienfaisance privée à but non lucratif reconnue par le
Comité paralympique international (IPC). Le CPC met en
oeuvre des programmes visant à renforcer le mouvement
paralympique au Canada en permettant notamment à des
équipes composées d'athlètes canadiens de participer aux
Jeux paralympique. Le CPC favorise l'épanouissement, par
la pratique du sport, des personnes ayant un handicap et
ce, à tous les niveaux.

Turin
photo: Benoit Pe

left/ à gauche:
Athens/ Athènes 2004.
photo: Brian Bahr / Getty Images

right/ à droite:
Turin 2006.
photo: Benoit Pelosse

France Gagné,
Athens/ Athènes 2004
photo: Benoît Pelosse

TABLE OF CONTENTS

TABLE DES MATIÈRES

d Austgarden, Sonja Gaudet,
 Cormack, Turin 2006.
: Benoit Pelosse

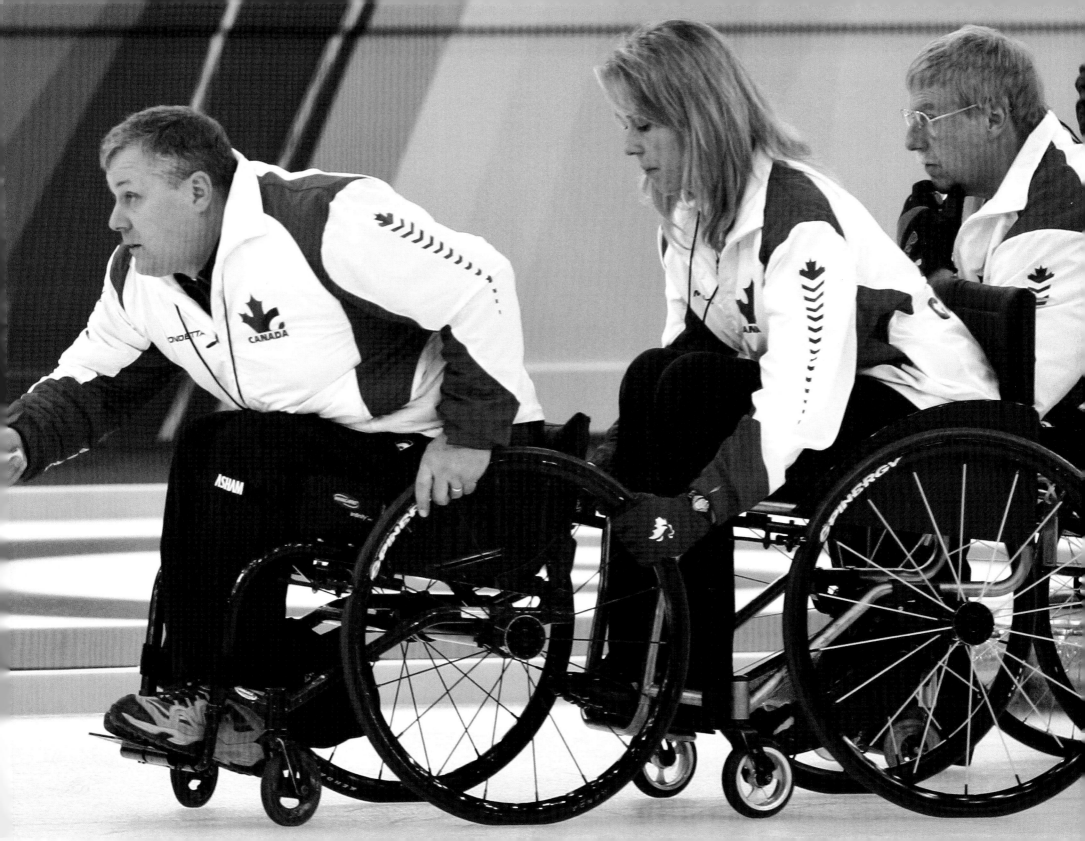

❝Paralympic athletes are the REAL athletes,

the ones who fight with more determination

after every fall. I would say they are

150 per cent athletes!**❞**

Alberto Tomba,
Triple gold medal winning Alpine Skier, Olympic Games

« Les athlètes paralympiques sont les VRAIS athlètes :

chaque chute les oblige à plus de détermination que

quiconque. Ce sont des athlètes à 150 pour cent! »

Alberto Tomba,
Triple médaillé d'or, ski alpin, Jeux olympiques

Brad Lennea, Turin 2006.
photo: Benoit Pelosse

There is a reason this book is called Winning, and it's quite simple: it seeks a victory through sport for Canadians with a physical disability. As a Paralympian, I know the path to the Paralympic Games very well, and I can tell you there were many barriers to break through, long before I made it to the podium.

The Canadian Paralympic Committee is determined to clear these obstacles from your path, to achieve a meaningful legacy from the 2010 Paralympic Winter Games in Vancouver/Whistler in the form of a nationwide athlete development system for persons with a disability.

Such a system could become your road to discovery; rooted in your personal drive, founded in your rising confidence and determination, and following a vision of excellence, not to mention fun! That's what this book is about. Its images show the glory, the beauty, the satisfaction and, above all, the possibilities.

By presenting these images in this way, we hope to awaken within you a determination to get involved in the world of Paralympic sport, to get out and play, no matter what level of achievement may unfold. Who knows, you may be a Chantal Petitclerc, Lauren Woolstencroft, Todd Nicholson or Brian McKeever in the making!

Know that we are working to knock down whatever stands in the way of giving you this opportunity: a chance to feel the rush of confidence, exhilaration and achievement that comes from sport. We are calling on Canadians who live with a physical disability to take up the challenge to enjoy themselves and possibly be among the next generation of Paralympic athletes. That's what we call Winning!

CPC's FEEL THE RUSH campaign website (www.paralympic.ca/feeltherush) is a hub of information, where you can learn more about the Paralympic Movement and locate a national, provincial, or local sporting association best suited to your wishes.

Come on board as a participant or a supporter. You have nothing to lose but your preconceptions!

Carla Qualtrough, *President*
Canadian Paralympic Committee
Three-time bronze medalist swimmer
Seoul and Barcelona Paralympic Summer Games

I l y a une raison pour laquelle cet ouvrage s'intitule « Gagner », et elle est bien simple : son objet est de paver la voie aux Canadiennes et aux Canadiens ayant un handicap afin qu'ils connaissent la victoire par le sport. En qualité de paralympienne, je connais très bien le parcours qui mène aux Jeux paralympiques, et je peux vous affirmer qu'il m'a fallu surmonter un grand nombre d'obstacles avant d'arriver au podium.

Le Comité paralympique canadien est déterminé à éliminer ces embuches sur votre chemin et à faire en sorte que les Jeux paralympiques d'hiver de Vancouver/Whistler en 2010 laissent un héritage significatif sous la forme d'un système national de développement des athlètes pour les personnes handicapées.

Un tel système pourrait devenir votre voie personnelle vers la découverte; une voie enracinée dans votre dynamisme, fondée sur votre confiance en vous-même et votre détermination grandissantes, dans une optique de recherche de l'excellence et de plaisir aussi, pourquoi pas! Tel est l'objet de ce livre. Les images qu'il contient évoquent la gloire, la beauté, la satisfaction et, par-dessus tout, il révèle un horizon rempli de possibilités.

En présentant ces images de cette façon, nous espérons éveiller en vous la détermination de faire partie du monde du sport paralympique, de sortir et d'aller jouer, peu importe le niveau que vous pouvez atteindre. Qui sait, peut-être êtes-vous une Chantal Petitclerc, une Lauren Woolstencroft, un Todd Nicholson ou un Brian McKeever en puissance!

Sachez que nous travaillons à éliminer tout ce qui peut entraver nos efforts pour vous offrir cette possibilité : la chance de vivre l'adrénaline, et d'éprouver le sentiment de confiance, d'exaltation et d'accomplissement que procure le sport. Nous invitons les Canadiennes et les Canadiens ayant un handicap à relever le défi et à s'adonner à un sport pour s'amuser, et ultimement joindre les rangs de la prochaine génération d'athlètes paralympiques. C'est ça que nous appelons Gagner!

Le site internet de la campagne VIVEZ L'ADRÉNALINE du CPC (www.paralympique. ca/vivezladrenaline/) est un centre d'information, où vous pouvez en apprendre davantage sur le mouvement paralympique et retracer une association sportive nationale, provinciale ou locale capable de répondre à vos besoins.

Joignez-vous à nous, comme participant ou comme partisan. Et, pour reprendre les mots de quelqu'un d'autre, vous n'avez rien à perdre sauf vos idées préconçues!

Carla Qualtrough, *présidente*
Comité paralympique canadien
Triple médaillée de bronze en natation
Jeux paralympiques d'été, Séoul et Barcelone

FOREWORD

At the 2006 Torino Paralympic Winter Games, I watched Arly Fogarty cross the finish line after her downhill run and my emotions got the best of me. The same thing happened that evening as I spoke to the athletes and their families at a reception in the Alpine venue at Sestriere. I was honouring Canada's Paralympic competitors, testifying to how much they enriched our lives and when I came to Arly, standing there with her mom and dad, I just couldn't get the words out. It was a moment that was deeply moving for me because we had all come so far together.

I have known Arly since she was five when I introduced her to skiing, hoping she'd have fun; never dreaming that eighteen years later she'd be on the Canadian Paralympic Alpine Ski Team representing her country among the best athletes in the world; never dreaming that I'd be here to see it happen!

But Arly, like every Paralympian, decided it was not enough just to ski, but to really have fun she had to go all the way, and she committed herself to the years of training required to reach her peak, giving credence to the words of Roland Barth:

> Excellence can be attained
> When you...
> Care more than others think
> Is wise,
> Risk more than others think
> Is safe,
> Dream more than others think
> Is practical,
> Expect more than others think
> Is possible.

The Paralympic experience not only empowers athletes with a physical disability to seek excellence through sport, it empowers us all to overcome our preconceived limitations and to do what it takes to achieve our dreams.

Thanks Arly, for reminding us all!

Henry Wohler,
Immediate Past President
Canadian Paralympic Committee

AVANT-PROPOS

Lors des Jeux paralympiques d'hiver de Turin, j'ai vu Arly Fogarty traverser la ligne d'arrivée à l'issue de sa descente et j'ai littéralement exulté. La même émotion m'a de nouveau transporté quand, le soir venu, je me suis adressé aux athlètes et à leurs familles lors d'une réception au site de ski alpin de Sestrières. Je rendais hommage aux athlètes paralympiques canadiens, soulignant à quel point ils enrichissent nos vies, puis, quand est venu le moment de m'adresser à Arly, qui était entourée de sa mère et de son père, ma gorge s'est nouée. Nous avions parcouru un tel chemin ensemble.

Quand j'ai connu Arly, elle avait cinq ans et c'est moi qui l'ai initiée au ski, espérant qu'elle aurait du plaisir à dévaler les pentes; jamais je n'ai rêvé que dix-huit ans plus tard, elle ferait partie de l'équipe paralympique canadienne de ski alpin et qu'elle représenterait son pays parmi les meilleurs athlètes du monde; jamais je n'aurais cru que je serais ici pour voir un tel rêve se réaliser!

Mais Arly, comme tout paralympien, a décidé que skier pour le simple plaisir de skier ne lui suffisait pas et que pour avoir du plaisir vraiment, elle devait aller au bout d'elle-même; ce pourquoi, elle s'est entraînée pendant des années pour atteindre le sommet qu'elle connaît et donner corps aux mots de Roland Barthes :

> Pour atteindre l'excellence
> Vous devez...
> Vous investir plus que ce que les autres estiment sage de faire,
> Risquer plus que ce que les autres jugent prudent de faire,
> Rêver davantage que ce que les autres pensent raisonnable de faire,
> Avoir des attentes qui dépassent ce que les autres considèrent comme étant la limite du possible.

Le mouvement paralympique n'a pas pour seul objet de permettre aux personnes ayant un handicap de s'épanouir par la pratique du sport, mais aussi de nous inciter tous à dépasser nos limites préconçues et à faire ce qu'il faut pour réaliser nos rêves.

Merci pour ton exemple, Arly!

Henry Wohler,
Président sortant
Comité paralympique canadien

previous page/ page précédente:
Arly Fogarty, Turin 2006.
photo: Alberto Pizzoli / Getty Images

left/ à gauche:
Garrett Hickling, Athens/ Athènes 2004.
photo: Jean-Baptiste Benavent

INTRODUCTION

At the Torino Paralympic Winter Games, from the moment the puck dropped, the skis hit the snow or the rocks collided, it was real; the power of sheer athletic determination was in the air and it drew like a magnet. There were points in each competition that took on the spectral glow of total struggle, when you know the competitors are striving deep down, involved in something elemental to our humanity; they were delivering the transcendence that we long for when we watch or participate in sport. It's what makes a crowd scream.

Our Canadian Paralympic athletes delivered this transcendence, the fundamental requirement of great sport, with abundance and great generosity. They delivered of themselves and won, not only a basket full of medals, but the unqualified, unrestrained love and admiration of a corps of hardened sports reporters, who are not easily impressed and thought they had seen it all, until these games.

It is this authenticity, the plainly evident terms of Paralympic competition, which makes Paralympic Sport what it is: a showcase of pure athleticism untarnished by arrogance, greed and preening narcissism. There are many of us now - Canadians who want more of this kind of sport. Athletes with a physical disability need to know that people around the world want what you have to offer, so get involved, learn the skills and follow your passion. We are waiting for you because we share your dreams!

The purpose of this book is quite simple: to inspire. We want to light a fire in the hearts of Canadians with a disability to get involved in sport; we want to motivate health care providers to offer sport as a means of rehabilitation and to follow in the footsteps of Sir Ludwig Guttmann; and, of course, we want to spark the enthusiasm of the fans and supporters who provide the daily bread that keeps it all going.

INTRODUCTION

Aux Jeux paralympiques d'hiver de Turin, dès que la rondelle a percuté la glace, que les skis ont touché la neige ou que les pierres se sont heurtées, c'était parti, nous étions plongés dans l'atmosphère magnétique créée par la détermination athlétique à l'état pur. Au cours de chaque compétition, nous avons vu luire la lueur spectrale de la lutte totale, celle qui apparaît quand on sait que les concurrents se donnent sans réserve, qu'ils atteignent quelque chose de fondamental, qu'ils nous font goûter à cette transcendance que nous recherchons dans le sport, comme spectateur autant que comme participant... cet état qui soulève la foule.

Nos athlètes paralympiques canadiens nous ont fait accéder à cette transcendance, qui est une condition essentielle du sport de haut niveau, avec abondance et grande générosité. Ils se sont donnés corps et âme et ils ont gagné, non seulement une pleine récolte de médailles, mais également l'amour et l'admiration inconditionnels et sans limite d'un essaim de journalistes sportifs aguerris, qui ne se laissent pas facilement impressionner et qui croyaient jusque là avoir déjà tout vu.

C'est cette authenticité et les conditions claires et simples des compétitions paralympiques qui confèrent au sport paralympique son essence : la démonstration de l'athlétisme intégral, non entaché par l'arrogance, l'avidité et la prétention narcissique. Et nombreux sont les Canadiens qui recherchent maintenant cette authenticité. Vous tous, athlètes ayant un handicap, devez savoir que partout dans le monde les gens veulent bénéficier de ce que vous avez à offrir : investissez-vous dans le sport, développez vos habiletés et donnez libre cours à votre passion. Nous sommes là à vous attendre parce que nous partageons vos rêves!

L'objet de cet ouvrage est assez simple : être une source d'inspiration. Nous voulons que ce livre allume une flamme dans le cœur des Canadiens qui ont un handicap, afin qu'ils s'investissent dans le sport; nous voulons aussi inciter les fournisseurs de soins de santé à offrir le sport comme moyen de réadaptation et à suivre les traces de Sir Ludwig Guttmann; aussi, bien sûr, nous voulons alimenter l'enthousiasme des amateurs et des partisans qui assurent la poursuite des choses au quotidien.

WHERE WE'RE COMING FROM

It is not an overstatement to say that the Paralympic Movement seeks a victory in our time for human dignity, human worth and the human spirit. That's why this book is called Winning.

It is no coincidence that the Paralympic Games were founded in Britain just after the Second World War by a neurosurgeon who had fled the spread of Nazism in Europe. Dr. Ludwig Guttmann had registered the human cost of the war and was single minded about taking a fundamental step forward. Starting from that point, he set out to create a movement that was, arguably, the first of its kind; a movement that stood firmly on behalf of people whose disabilities had previously placed them beyond the hope and caring of their societies and, at worst, had meant abandonment or institutionalization.

Dr. Guttmann devoted his life to developing techniques of physical rehabilitation and he saw the pursuit of sport as a way to develop the capacity of people with disabilities. He realized that the attractiveness and excitement of competition did not depend upon the physical perfection of the athlete but upon their passion, skill and commitment. For evidence, just take a good look at baseball hero Babe Ruth! Guttmann saw that audiences could quickly become fans because of the sheer excitement generated by Paralympic competition. He was knighted for his vision and dedication.

In this realization of the benefits of sport for people with physical disabilities lay the seeds of the Paralympic Games and, in 1948, when Sir Ludwig staged the

NOS ANTÉCÉDENTS...

C'est peu dire que d'affirmer que le mouvement paralympique cherche à faire triompher à notre époque la dignité humaine, la valeur humaine et l'esprit humain. Voilà pourquoi le présent ouvrage s'intitule « Gagner ».

Il n'est guère étonnant que les Jeux paralympiques aient été créés en Grande-Bretagne juste après la Deuxième Guerre mondiale à l'instigation d'un neurochirurgien qui avait fui la vague nazie ayant déferlé sur l'Europe. Le docteur Ludwig Guttmann connaissait le prix humain de cette guerre et il était déterminé à donner un coup de barre décisif. Dans cet esprit, il a créé un mouvement, possiblement le premier du genre, qui a pris parti fermement en faveur de personnes qui, en raison de leur handicap, étaient jusque-là, au mieux, des laissés-pour-compte; au pire, ces personnes étaient abandonnées à leur sort, voire placées en établissement.

Le docteur Guttmann a consacré sa vie à mettre au point des techniques de réadaptation physique et il considérait la pratique du sport comme un moyen de développer la capacité des personnes ayant un handicap. Il était conscient que l'attrait et l'enthousiasme de la compétition ne sont pas tributaires de la perfection physique des athlètes, mais bien de leur passion, de leur habileté et de leur détermination. Il suffit, pour s'en convaincre, de penser à Babe Ruth, ce héros du baseball! Guttman savait que le public pouvait rapidement se passionner pour la compétition paralympique, pour le pur plaisir qu'elle lui procure. Sa vision et son dévouement lui ont valu d'être fait chevalier.

Sir Ludwig Guttmann,
photo: International Wheelchair and
Amputee Sports Federation

International Wheelchair Games to coincide with the London Olympic Games, a movement was born. The event gradually grew and gained more and more participants and supporters. Today, the Summer and Winter Paralympic Games have become the ultimate in international competition for athletes with a physical disability, occurring in conjunction with the Olympics every two years, at the same facilities and venues.

Canada is one of the leading nations in the Paralympic Movement, on and off the field. We can be justly proud, for it is a mark of Canada's standing as a civilized society. The Canadian Broadcasting Corporation's coverage of the Paralympic Winter Games in Torino 2006 was seen by more than 8 million viewers. Our national media are beginning to realize that Canadians have a hunger for the authenticity and sport excellence that are so clearly evident at the Paralympic Games. U.S. viewers had to turn to the Canadian or European media to track their team in Torino. We didn't just beat them on the ice!

Canadian Paralympic Sport needs more participants at every level, from the playground to the podium, if we are going to really have fun, as Arly would say. Of course, we need more fans to support their efforts and cheer them to victory. It's time to get on board and join the movement!

Cette prise de conscience des bienfaits du sport pour les personnes ayant un handicap a donné naissance aux Jeux paralympiques. En 1948, lorsque Sir Ludwig a organisé les Jeux internationaux en fauteuil roulant parallèlement aux Jeux olympiques de Londres, un mouvement est né. L'événement a graduellement pris de l'ampleur et attiré un nombre croissant de participants et de partisans. Aujourd'hui, les Jeux paralympiques représentent la plus grande compétition internationale qui soit pour les athlètes ayant un handicap. Reliés aux Jeux olympiques, ils se tiennent tous les deux ans, dans les mêmes installations et les mêmes sites.

Le Canada est l'une des principales nations du mouvement paralympique, en compétition comme en coulisse, réalité dont nous pouvons à juste titre nous enorgueillir, puisqu'elle nous positionne en tant que société civilisée. La couverture assurée par la Société Radio-Canada (CBC) lors des Jeux paralympiques d'hiver de Turin 2006 a permis à plus de 8 millions de téléspectateurs de suivre ces Jeux. Nos médias nationaux se rendent compte de plus en plus que les Canadiens recherchent l'authenticité et l'excellence sportive qui ressortent de façon si manifeste lors des Jeux paralympiques; les téléspectateurs américains ont dû compter sur les médias canadiens ou européens pour suivre leurs équipes à Turin. Comme quoi, nous ne les battons pas seulement sur la glace!

Le sport paralympique canadien a besoin de plus de participants à tous les niveaux, depuis le terrain de jeu jusqu'au podium, afin que nous puissions vraiment nous amuser, comme dirait Arly. Il a aussi besoin, bien sûr, d'un plus grand nombre de partisans pour soutenir les efforts des athlètes et les mener à la victoire. Le moment est venu de passer à l'action et de joindre le mouvement!

Turin 2006.
photo: Benoit Pelosse

TORINO

TURIN 2006

By the time IX Paralympic Winter Games drew to a close in Torino, the Canadian Team had posted 13 Medals: 5 gold, 3 silver and 5 Bronze, putting Canada in 6th place overall in the final standings among 486 competitors from 39 countries. With Gold in all sports - Hockey, Nordic, Alpine, and Curling – the Canadian team excelled in every aspect of the Games and was the only nation to do so. It was Canada's best Winter performance and it placed Canada on the right track to achieving another best ever performance in Vancouver 2010.

Canada's performance at the Torino Games is a credit to the skill, dedication and talent of the Canadian athletes, coaches and support staff . The increasing support and involvement of the federal government and national sport governing bodies were also a factor in the success of the team. Hockey Canada, the Canadian Curling Association, Alpine Canada and Cross Country Canada are to be congratulated for their commitment to increasing support for athletes with a disability.

If this outstanding level of achievement is to grow, more and more Canadians with disabilities must awaken to the profound benefits of involvement in sport at every level, from day-to-day to high performance... Canadians everywhere must sustain their endeavours as fans and supporters. Follow your passion!

À l'issue des IXe Jeux paralympiques d'hiver de Turin, l'équipe canadienne avait récolté 13 médailles : 5 d'or, 3 d'argent et 5 de bronze, récolte qui a valu au Canada le 6e rang au tableau général final de ces Jeux auxquels ont participé 486 athlètes provenant de 39 pays. Et l'équipe canadienne a décroché l'or dans tous les sports - hockey, ski nordique, ski alpin et curling – elle a excellé dans tous les aspects des Jeux, et elle est la seule équipe nationale à l'avoir fait. À Turin, le Canada a enregistré ses meilleurs résultats à ce jour aux Jeux d'hiver et il s'est bien positionné pour répéter le même exploit lors des Jeux de Vancouver 2010.

La performance du Canada aux Jeux de Turin est un tribut au talent et à la détermination des athlètes et des entraîneurs canadiens ainsi que du personnel de soutien. L'appui et la participation accrus du gouvernement fédéral et des organismes nationaux de régie du sport sont aussi un facteur du succès du Canada. Hockey Canada, l'Association canadienne de curling, Alpine Canada Alpin et Ski de fond Canada méritent des félicitations pour leur engagement à accorder plus de soutien aux athlètes ayant un handicap.

Pour que cette lancée exceptionnelle se maintienne, il faut que de plus en plus de Canadiens ayant un handicap prennent conscience des profonds bienfaits découlant de la pratique du sport à tous les niveaux, depuis le sport au quotidien jusqu'au sport d'élite...que les Canadiens, partout, leur accordent leur soutien comme partisans et admirateurs. Donnez libre cours à votre passion!

Place BC/Canada Place
Turin 2006
photo: Benoit Peloss

MEDALISTS:

ALPINE
Lauren Woolstencroft: 1 Gold, 1 Silver
Chris Williamson and Guide Bobby Taylor: 1 Silver, 1 Bronze
Kimberley Joines: 1 Bronze

NORDIC
Brian McKeever and brother/guide Robin: 2 Gold, 1 Silver, 1 Bronze
Colette Bourgonje: 2 Bronze

HOCKEY: Gold
Captain Todd Nicholson; Jeremy Booker, Bradley Bowden, Billy Bridges, Marc Dorion, Jean Labonté, Hervé Lord, Shawn Matheson, Graeme Murray, Mark Noot, Paul Rosen, Benôit St-Amand, Dany Verner, Gregory Westlake.

CURLING: Gold
Captain Chris Daw; Gerald Austgarden, Karen Blachford, Gary Cormack, Sonja Gaudet.

LES MÉDAILLÉS :

SKI ALPIN
Lauren Woolstencroft : 1 d'or, 1 d'argent
Chris Williamson et son guide Bobby Taylor : 1 d'argent, 1 de bronze
Kimberley Joines : 1 de bronze

SKI NORDIQUE
Brian McKeever et son frère et guide Robin: 2 d'or, 1 d'argent, 1 de bronze
Colette Bourgonje : 2 de bronze

HOCKEY: Or
Le capitaine Todd Nicholson; Jeremy Booker, Bradley Bowden, Billy Bridges, Marc Dorion, Jean Labonté, Hervé Lord, Shawn Matheson, Graeme Murray, Mark Noot, Paul Rosen, Benôit St-Amand, Dany Verner, Gregory Westlake.

CURLING: Or
Le capitaine Chris Daw; Gerald Austgarden, Karen Blachford, Gary Cormack, Sonja Gaudet.

Bobby Taylor, Chris Williamson,
Turin 2006.
Photo: Benoit Pelosse

With four world championship titles under her belt, and five Paralympic medals, including three gold, alpine skier Lauren Woolstencroft is living testament to the power of sport, "I can't put a value on the profound effect that sport has had on my life. There is no other feeling like that of standing on the podium and knowing you've succeeded. I want other Canadians with physical disabilities to know that feeling as well."

Lauren Woolstencroft

Avec quatre titres aux championnats mondiaux à son actif et cinq médailles paralympiques, dont trois d'or, la skieuse alpin Lauren Woolstencroft est la preuve vivante du pouvoir du sport : « Je n'arrive pas à mesurer le profond effet que le sport a eu dans ma vie. Il n'y a rien de comparable au fait de monter sur le podium et de savoir qu'on a réussi. Je veux que d'autres athlètes canadiens ayant un handicap physique en fassent l'expérience également. »

Lauren Woolstencroft

**dd Nicholson,
Turin 2006.**
Benoit Pelosse.

When I was young my dream was to be a big league hockey player, no different than many other kids. I have always had dreams of making it big.

At the age of 18 I was involved in a car accident on my way home from my high school prom. I lost the use of my legs and will be in a wheelchair for the rest of my life, except of course when I'm on the ice! For a while there, however, I thought my life was over. But I came to realize that it was only just beginning. My parents kept telling me that anything I wanted to do was still possible, I just might have to do things a bit differently; and, above all, I couldn't stop believing in what I feel capable of doing.

Since that day, I have never let anything or anyone stand in my way and I'm lucky because I am surrounded with family and friends who will never let me quit.

Many of my dreams have now become realities. I have been the captain of Canada's sledge hockey team for a number of years now: 1994 Lillehammer (Norway), Bronze; 1998 Nagano (Japan), Silver; 2002 Salt Lake City (USA), and 2006 Torino (Italy), Gold, along with competition in Duathlons, Triathlons and the occasional marathon. I have come to the conclusion that anything is possible if you put your mind to it.

And I never have and never will be afraid to ask for help. I have had so many people in my life who have helped me get to where I am today and I know that will never change no matter how far I go in life. I still have so much more to do and I know I can count on the people around me to help me make it all the way.

I have had the honour to carry the Canadian Flag at the opening ceremonies in Torino and to lead a group of fabulous athletes, each of whom have overcome so many obstacles in their lives, yet never stopped believing in themselves. Competing in sports has given me so many cherished memories and, best of all, friends all over the world!

Todd Nicholson

Quand j'étais jeune, je rêvais, comme beaucoup d'autres enfants, de devenir un joueur de hockey dans une ligue d'importance. J'ai toujours eu des rêves de grandeur.

À l'âge de 18 ans, j'ai eu un accident d'auto au retour de mon bal de finissants. J'ai perdu l'usage de mes jambes et je serai en fauteuil roulant le reste de mes jours, sauf bien sûr quand je suis sur la glace! Pendant un certain temps, toutefois, j'ai cru que ma vie était finie. Mais j'ai fini par constater qu'elle ne faisait que commencer. Mes parents n'ont pas cessé de me dire que je pouvais faire tout ce que je voulais, que c'était encore possible, qu'il suffisait de les faire différemment un peu; par-dessus tout, je ne pouvais pas renoncer à ce que je me sentais capable de réaliser.

Depuis ce jour, je n'ai jamais laissé rien ni personne entraver mon chemin et j'ai la chance d'être entouré de parents et d'amis qui ne me laisseront jamais abandonner la partie.

Bon nombre de mes rêves sont devenus des réalités. Je suis le capitaine de l'équipe canadienne de hockey sur luge depuis quelques années maintenant : Lillehammer (Norvège) 1994, médaille de bronze; Nagano (Japon) 1998, l'argent; Salt Lake City (É.-U.) 2002 et Turin (Italie) 2006, l'or, sans compter ma participation à des compétitions de duathlon, de triathlon et à des marathons occasionnels. J'en suis venu à la conclusion que tout est possible si on y croit vraiment.

Je n'ai jamais eu peur, et n'aurai jamais peur de demander de l'aide. Il y a tellement de personnes qui m'ont aidé à me rendre là où je suis aujourd'hui, et je sais que cela va continuer ainsi quoi que je fasse dans la vie. Il me reste tellement de choses à accomplir et je sais que je peux compter sur le soutien continu des gens qui m'entourent.

J'ai eu l'honneur de porter le drapeau du Canada lors de la cérémonie d'ouverture des Jeux de Turin et d'être à la tête d'un fabuleux groupe d'athlètes, qui tous ont eu à surmonter de nombreux obstacles dans leur vie, sans jamais cesser de croire en eux-mêmes. La compétition sportive m'a donné tellement de précieux moments à me remémorer, et par-dessus tout, des amis dans le monde entier!

Todd Nicholson

Mark Noot, Paul Rosen
Turin 2006.
photo: Benoit Pelosse

"The athletes competing in the Paralympics are at the top of their sport, the best in their countries and in the world. As athletes, they are professional, training and competing at the highest levels, and as people, they are survivors, optimists, inspired and tougher than I could have imagined before competing in the same capacity. I am proud to have been accepted by my Paralympic peers as one of their own.

The Paralympics for me have been a gift. Whether competing for my country, traveling to new lands or calling myself a "professional athlete", it has all been a dream come true. Someone once said "find something you love doing, and you won't work a day in your life" and for me that is being an athlete. Most athletes will never make much money, but I can attest that my life is far richer for the opportunities I've had because of sport. I wouldn't change a thing – what more could I want?"

Brian McKeever

« Les athlètes qui participent aux Jeux paralympiques sont les meilleurs dans leur sport, de leur pays et dans le monde. Comme professionnels dans leur discipline sportive, ils s'entraînent et participent à des compétitions du plus haut niveau, et comme personne, ils sont des survivants, des optimistes, des êtres inspirés et plus résistants que je n'aurais pu l'imaginer avant de me joindre à leur groupe. Je suis fier d'avoir été accepté par mes pairs des sports paralympiques comme l'un des leurs.

Pour moi, les Jeux paralympiques ont été un cadeau. Quand je représente mon pays à des compétitions, que je me rends dans des pays que je ne connais pas encore ou que je me dis que je suis un « athlète professionnel », chaque fois, c'est un rêve qui se réalise. Quelqu'un a déjà dit que « celui qui trouve quelque chose qu'il aime faire, ne travaille pas un seul jour dans sa vie », et c'est exactement ce que je vis comme athlète. La plupart des athlètes ne font jamais beaucoup d'argent, mais je peux affirmer que ma vie est beaucoup plus riche grâce aux possibilités que le sport m'a offertes. Je ne changerais rien à tout ça – qu'est-ce que je pourrais vouloir de plus? »

Brian McKeever

Brian / Robin McKeever,
Turin 2006.
photo: Benoit Pelosse.

Athens/ Athènes 2004.
photo: Benoit Pelosse

ATHENS

ATHÈNES 2004

SUMMER: ATHENS 2004

The Canadian athletes at the Paralympic Summer Games in Athens surpassed all expectations. Chantal Petitclerc, Kirby Coté and Benoît Huot all won 5 gold medals, helping to break ten world records and 12 Paralympic records at these games. It was the games that launched Chantal to national stardom and the Canadian Athlete of the Year Award.

The team concluded the 12th Summer Paralympiad with 28 gold medals, 19 silver medals and 25 bronze medals for 72 medals in all, finishing third in the gold medal count and seventh for total medals. While China and Britain won more gold, Canada had the uncommon pleasure of finishing ahead of the United States leaving them in fourth place.

Female competitors take note: 42 medals were won by females, 25 by males and five mixed (boccia, wheelchair rugby and equestrian are mixed sports).

Canada did well in both individual and team sports as four out of five teams won medals: women's and men's basketball, women's goalball and men's rugby.

JEUX D'ÉTÉ: ATHÈNES 2004

Les athlètes canadiens des Jeux paralympiques d'été d'Athènes ont dépassé toutes les attentes. Chantal Petitclerc, Kirby Coté et Benoît Huot ont chacun remporté 5 médailles d'or, et contribué aux résultats obtenus lors de ces Jeux au cours desquels dix records du monde et douze records paralympiques ont été battus. Ces Jeux ont valu à Chantal de devenir une vedette nationale et de mériter le titre d'athlète canadienne de l'année.

À l'issue de la 12e édition des Jeux paralympiques d'été, l'équipe avait récolté 28 médailles d'or, 19 médailles d'argent et 25 médailles de bronze, pour un total de 72 médailles, ce qui lui a valu le troisième rang au compte des médailles d'or et le septième au tableau général des médailles. Si la Chine et la Grande-Bretagne ont remporté un plus grand nombre de médailles d'or, le Canada a eu la satisfaction peu courante de devancer les États-Unis, qui se sont taillé la quatrième place.

Que toutes les athlètes de sexe féminin se le disent : 42 médailles ont été remportées par des femmes, 25 par des hommes, et cinq par des équipes mixtes (le boccia, le rugby en fauteuil roulant et les sports équestres sont des sports mixtes).

Le Canada a fait belle figure non seulement dans les sports individuels, mais aussi dans les sports d'équipe : sur les cinq équipes en compétition, quatre ont remporté des médailles, soit les équipes féminines et masculines de basket-ball, l'équipe féminine de goalball et l'équipe masculine de rugby.

Danielle Campc
Athens/ Athènes 2004
photo: Benoit Peloss

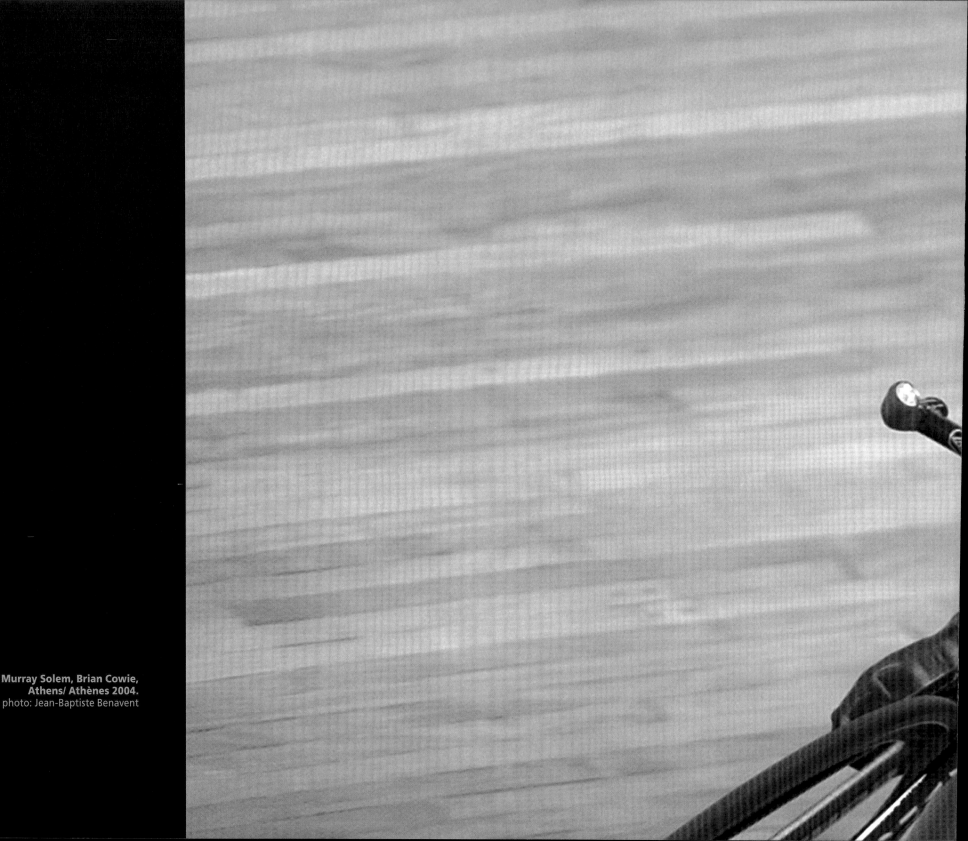

Murray Solem, Brian Cowie,
Athens/ Athènes 2004.
photo: Jean-Baptiste Benavent

ATHENS HIGHLIGHTS

ATHLETICS
6 World Records set by 3 athletes (Chantal Petitclerc, Lisa Franks, Chelsea Clark).
7 Paralympic Records set by 3 athletes (Chantal Petitclerc, Lisa Franks, Chelsea Clark)
Chantal Petitclerc – 5 gold medals
André Beaudoin – 3 medals (gold, silver, bronze)
Lisa Franks and Chelsea Clark – 2 gold each

BOCCIA
Paul Gauthier wins Canada's first gold medal in boccia. Paul Gauthier and Alison Kabush defend Sydney bronze in BC3 Pairs

CYCLING
Canada is represented in every disability category. Hand cycling makes its debut.

EQUESTRIAN
Karen Brain wins two bronze medals as Canada qualifies for first time since Atlanta 1996.

GOALBALL
Canadian women defend their gold from Sydney.
Canadian men demonstrate tremendous improvement and are just nipped for the bronze medal, finishing 4th

JUDO
Bill Morgan competing in his second Paralympic Games narrowly misses the podium, defeated in the bronze medal match.

POWERLIFTING
Sally Thomas becomes Canada's first ever female powerlifter to compete at the Paralympic Games.
Kenny Doyle has his best showing at a Paralympic Games with a fourth place finish.

SAILING
After only two years of racing in the 2.4m class, Bruce Millar competed in his first Paralympic Games finishing in 9th place. The sonar team finishes in 7th place.

SHOOTING
Canada sent a team of five athletes. The only Canadian female athlete, Karen Van Nest, has the best showing for a Canadian finishing 5th in the 10m Air Pistol event. Chris Trifonidis has a strong 6th place finish in the 50m Free Rifle.

SWIMMING
4 World Records (3 – Benoît Huot, 1 – Stephanie Dixon) and 5 Paralympic Records (4 – Benoît Huot, 1 – Stephanie Dixon). Swimmers once again account for more than half of the Canadian medal total, with a total of 40 medals.
Kirby Coté – 5 gold and 2 silver medals
Benoît Huot – 5 gold, 1 silver
Stephanie Dixon – 1 gold, 6 silver, 1 bronze – team leading 8 medals

WHEELCHAIR BASKETBALL
Men successfully defend their Sydney gold medal, dominating the competition. Women claim bronze, following their first Paralympic loss since Seoul 1988.

WHEELCHAIR RUGBY
Canada, defending World Champions, wins silver following a hard-fought final vs New Zealand.

WHEELCHAIR TENNIS
Sarah Hunter, competing in her first Paralympic Games, and doubles partner Brian McPhate enjoy best-ever placing for a Canadian at a Paralympic Games losing in the bronze medal match

FAITS SAILLANTS DES JEUX D'ATHÈNES

ATHLÉTISME

6 records du monde établis par 3 athlètes (Chantal Petitclerc, Lisa Franks, Chelsea Clark).
7 records paralympiques établis par 3 athlètes (Chantal Petitclerc, Lisa Franks, Chelsea Clark)
Chantal Petitclerc – 5 médailles d'or
André Beaudoin – 3 médailles (or, argent, bronze)
Lisa Franks et Chelsea Clark – 2 médailles d'or chacune

BASKET-BALL EN FAUTEUIL ROULANT

Les hommes défendent avec succès leur titre de médaillés d'or des Jeux de Sydney et dominent la compétition. Les femmes récoltent le bronze, après avoir subi leur première défaite paralympique depuis Séoul 1988.

BOCCIA

Paul Gauthier remporte la première médaille d'or du Canada au boccia. Paul Gauthier et Alison Kabush défendent la médaille de bronze remportée à Sydney en BC3 paires.

CYCLISME

Le Canada est représenté dans toutes les classes de handicap. Le vélo à main fait son entrée sur la scène paralympique.

DYNAMOPHILIE

Sally Thomas devient la première dynamophile canadienne des Jeux paralympiques. Kenny Doyle obtient ses meilleurs résultats à ce jour à des Jeux paralympiques et obtient le quatrième rang.

SPORTS ÉQUESTRES

Le Canada se qualifie pour la première fois depuis Atlanta 1996 et Karen Brain remporte deux médailles de bronze.

GOALBALL

Les athlètes canadiennes défendent leur titre de médaillées d'or des Jeux de Sydney.
Les Canadiens montrent qu'ils se sont beaucoup améliorés et terminent en quatrième place, à deux doigts de la médaille de bronze.

JUDO

Bill Morgan, qui participe à ses deuxièmes Jeux paralympiques, manque de peu le podium en accusant la défaite lors du match pour la médaille de bronze.

NATATION

Quatre records du monde (3 – Benoît Huot, 1 – Stéphanie Dixon) et 5 records paralympiques (4 – Benoît Huot, 1 – Stephanie Dixon). Les nageurs se sont de nouveau surpassés en remportant 40 médailles, soit plus de la moitié du total des médailles du Canada.
Kirby Coté – 5 médailles d'or et 2 d'argent
Benoît Huot – 5 médailles d'or et 1 d'argent
Stephanie Dixon – 1 médaille d'or, 6 d'argent et 1 de bronze – elle remporte la palme au sein de l'équipe avec 8 médailles

RUGBY EN FAUTEUIL ROULANT

Champions mondiaux en titre, les Canadiens remportent l'argent après un match serré l'opposant à la Nouvelle-Zélande.

TENNIS EN FAUTEUIL ROULANT

Sarah Hunter, qui en est à sa première participation paralympique, et son partenaire en double, Brian McPhate, obtiennent leurs meilleurs résultats à ce jour à des Jeux paralympiques. Le tandem a perdu le match de la médaille de bronze.

TIR

Le Canada a délégué une équipe de cinq athlètes aux Jeux. Seule femme au sein de cette équipe, Karen Van Nest, a obtenu le meilleur résultat canadien en prenant la 5e place à l'épreuve du pistolet à air comprimé 10m. Chris Trifonidis a décroché une solide 6e place à la finale de l'épreuve de carabine libre 50m.

VOILE

Après seulement deux années d'expérience en classe 2.4 m, Bruce Millar a décroché la 9e place lors de sa première parution aux Jeux paralympiques. L'équipage canadien en classe Sonar a pris la 7e place.

**Bill Morgan,
Athens/ Athènes 2004.**
photo: Jean-Baptiste Benavent

"To race in Athens at the Paralympic Summer Games was a formidable experience, a storm of emotions with each victory and each medal won, and the feeling that a great dream had been realized!   The Games upheld my conviction that there are no limits other than those you impose on yourself and that no dream is too big…"

Chantal Petitclerc

« Courir aux Jeux paralympiques d'Athènes a été une expérience formidable… Un tourbillon d'émotions à chaque victoire, à chaque remise de médaille… et le sentiment d'un grand rêve qui se réalisait enfin! Je suis revenue de ces Jeux avec la conviction qu'il n'y a de limites que celles qu'on s'impose soi-même, et qu'il n'existe pas de rêve qui soit trop grand… ».

Chantal Petitclerc

antal Petitclerc,
hens/ Athènes 2004.
oto: Benoit Pelosse

David Eng,
Athens/ Athènes 2004.
photo: Brian Bahr / Getty Images

" The best part about the excellence that happens at the Paralympics, the best part about winning medals, is the way it's possible to bring some of that excellence home, and share it. I love the look on people's faces when they start to understand what it's like to be a part of something amazing . . . once they catch a glimmer, there's nothing they can do but chase after it, and try to surround themselves with excellence as well."

Jeff Adams

« Ce qu'il y a de mieux en ce qui concerne l'excellence aux Jeux paralympiques, la meilleure chose au sujet des médailles qu'on remporte, c'est qu'il est possible de rapporter une part de cette excellence à la maison et de la partager. J'aime voir l'expression qui passe dans le visage des gens quand ils commencent à saisir ce que représente le fait de prendre part à quelque chose d'extraordinaire . . . dès qu'ils perçoivent cette lueur, ils n'ont plus qu'une idée, c'est de rechercher cette lueur et de s'entourer d'excellence dans leur propre vie. »

Jeff Adams

Jeff Adams, Athens/ Athènes 20
photo: Jean-Baptiste Benavent.

WHERE WE ARE GOING

FEEL THE RUSH

Over 10% of the world's population live with a disability, yet *disability* is largely a perceived state because *ability* is the day to day reality. The goal of the Paralympic Movement is to make the perception of disability disappear, replacing it with accessibility, integration and equality.

Supporters all over Canada are determined to make the 2010 Vancouver/ Whistler Paralympic Winter Games a watershed for the Paralympic Movement in Canada. We have joined the Government of Canada to attract people with physical disabilities to Paralympic sports, to use sport as a way to become active, healthier and to make a positive change in their lives. Canada's Paralympic athletes are showing the way for all of us!

Sport is good for all Canadians. But there are about 3.6 million Canadians with physical disabilities, 900,000 between the ages of 5 and 45; and only about 20,000 are engaged in organized sport at present. Whether it is at the high performance level or a healthy day-to-day activity, sport enriches people's lives. The Paralympic Movement uses sport to empower people with physical disabilities to make their choices and play! We aim to involve more people with physical disabilities in sport and that way we'll see as many Canadians as possible on the Paralympic Podium in 2010 and beyond.

We are calling on Canadians to *FEEL THE RUSH* of confidence, accomplishment and well-being that Paralympic Sport can bestow. We are calling on Canadians who

NOTRE ORIENTATION

VIVEZ L'ADRÉNALINE

Plus de 10 % de la population mondiale « vit avec une handicap »; or la notion d'incapacité est dans une large mesure une question de perception, puisque vivre requiert toutes sortes de capacités. Le mouvement paralympique a pour but de faire disparaître cette notion d'incapacité et de la remplacer par les notions d'accessibilité, d'intégration et d'égalité.

Les partisans de tout le Canada sont déterminés à faire en sorte que les Jeux paralympiques d'hiver de Vancouver-Whistler 2010 marquent un point tournant pour le mouvement paralympique au Canada. Nous collaborons avec le gouvernement du Canada pour inciter les personnes qui ont des handicap physiques à s'intéresser aux sports paralympiques, à utiliser le sport comme un moyen pour devenir actifs, être en meilleure santé et opérer des changements positifs dans leur vie. Les athlètes paralympiques du Canada nous montrent la voie à suivre!

Le sport est bon pour tous les Canadiens. Mais environ 3,6 millions de Canadiens, dont 900 000 ont entre 5 et 45 ans, ont un handicap physique; et à l'heure actuelle, seulement 20 000 d'entre eux environ s'investissent dans un sport organisé. Le sport enrichit la vie, et cette remarque s'applique autant au sport d'élite qu'à la simple activité sportive pratiquée dans la vie de tous les jours pour garder la forme. Le mouvement paralympique utilise le sport pour donner aux personnes qui ont un handicap le moyen de faire des choix et de jouer! Nous avons pour objectif de faire en sorte qu'un plus grand nombre de personnes ayant une

live with a physical disability to take up sports, enjoy themselves and possibly be among the next generation of Paralympic athletes.

With four world championship titles under her belt, and five Paralympic medals, including three gold, alpine skier Lauren Woolstencroft is a living testament to the power of sport, "I can't put a value on the profound effect that sport has had on my life. There is no other feeling like that of standing on the podium and knowing you've succeeded. I want other Canadians with physical disabilities to know that feeling as well."

CPC's *FEEL THE RUSH* campaign website (www.paralympic.ca/feeltherush) is a hub of information, where potential athletes can learn more about the Paralympic Movement and locate a national, provincial, or local sporting association best suited to them.

Visit:

www.paralympic.ca/feeltherush

déficience participent à un sport et que le plus grand nombre possible d'athlètes canadiens gravissent les marches du podium paralympique en 2010 et au-delà.

Nous encourageons les Canadiens à *VIVRE L'ADRÉNALINE* et à éprouver la confiance, le sentiment de réalisation et le bien-être que procure le sport paralympique. Nous enjoignons les Canadiens ayant un handicap à s'adonner à un sport, à s'amuser, voire à faire partie de la prochaine génération d'athlètes paralympiques.

Avec quatre titres aux championnats mondiaux à son actif et cinq médailles paralympiques, dont trois d'or, la skieuse alpin Lauren Woolstencroft est la preuve vivante du pouvoir du sport : « Je n'arrive pas à mesurer le profond effet que le sport a eu dans ma vie. Il n'y a rien de comparable au fait de monter sur le podium et de savoir qu'on a réussi. Je veux que d'autres athlètes canadiens ayant un handicap physique en fassent l'expérience également. »

Le site Web de la campagne *VIVEZ L'ADRÉNALINE* du CPC (www.paralympic.ca/vivezladrénaline) est un centre d'information, où les athlètes potentiels peuvent se renseigner sur le mouvement paralympique et trouver l'association sportive nationale, provinciale ou locale qui leur convient le mieux.

Allez à :

www.paralympique.ca/vivezladrénaline

Vancouver Mayor Sam Sullivan, a quadriplegic, says, "athletes with a disability are on par with able-bodied athletes in terms of the skill and perseverance required to compete and their merit is to be recognized and encouraged. I speak from experience when I tell people with disabilities how much getting involved in sport will enrich their lives."

Quadriplégique, le maire de Vancouver Sam Sullivan, a confié: « que les athlètes handicapés ne sont en rien différents des athlètes qui n'ont pas de handicap pour ce qui est des aptitudes et de la persévérance dont ils doivent faire preuve et il importe de leur accorder toute la reconnaissance et les encouragements qu'ils méritent. Je parle d'expérience quand je dis aux personnes handicapées à quel point le fait de pratiquer un sport enrichira leur vie. »

Sam Sullivan, Henry Wohler, Turin 2006.
photo: Benoit Pelosse

ALPINE SKIING

Athletes in Alpine Skiing events combine speed and agility while flying down slopes at speeds of up to or more than 100km/h. There are four competitions on the Paralympics programme, just as in Olympic competition: Downhill, Super-G, Giant Slalom and Slalom. Paralympic competition accommodates male and female athletes with a physical disability such as spinal injury, cerebral palsy, amputation, visual impairments and other conditions. Athletes compete based on their functional ability, allowing athletes with different disabilities to compete against each other. Alpine Skiing is governed by the International Paralympic Committee through the International Paralympics Alpine Skiing Committee (IPASC) and the rules of the Federation International de Ski (FIS) are used for Paralympics Winter Games, with only a few exceptions. Blind skiers are guided through the course by sighted guides using voice signals to indicate the course to follow. Athletes with physical disabilities use equipment that is adapted to their needs including single ski, sit-ski or orthopedic aids. Alpine Skiing is currently practiced by athletes in 35 countries and is steadily growing.

NORDIC SKIING

Nordic Skiing competitions are open to athletes with a physical disability (sit-ski and standing classes) and visually impaired athletes (who compete with a sighted guide). The Paralympic Winter Games competition involves two sports, Cross-Country and Biathlon. In Cross-Country, athletes compete on distances ranging from 2.5 to 20 kilometres. Depending on functional disability, a competitor stands or uses a sit-ski, a chair equipped with a pair of skis. A visually impaired athlete competes in the event with a guide.

The Biathlon event takes place on a 2.5-kilometre loop, which is repeated three times for a total of 7.5 kilometres (short distance) or 5 times for a total of 12km (long distance). Athletes stop for two or four shooting sessions along the course. They are given five shots and are required to hit a target positioned at a distance of ten metres. The penalty for a missed shot can be a time penalty that is added to the total time or a penalty loop to ski once per missed shot. The most important success factor lies in the capability of alternating these two skills during the competition. Visually impaired skiers shoot with an electronic targeting rifle system.

Nordic Skiing is practiced by athletes in 24 countries.

SLEDGE HOCKEY

Ice Sledge Hockey is the Paralympic version of Ice Hockey and, since its debut in the Paralympic programme in the Lillehammer 1994 Paralympics, it is quickly becoming one of the biggest attractions for spectators at the Paralympic Winter Games. It is fast-paced, highly physical and played by athletes with a physical disability in the lower part of the body. Ice Sledge Hockey is practiced by athletes in about 10 countries and is governed by the IPC through the International Paralympic Ice Hockey Committee. It follows the rules of the International Ice Hockey Federation (IIHF) with a few modifications. Canada, Norway, Sweden, Great Britain, USA, Japan and Estonia have dominated international competitions, but the sport is growing with club teams now established in Germany, the Netherlands, Denmark, Czech Republic, Russia and Korea.

As in Ice Hockey, each team attempts to outscore its opponent by shooting the puck (a hard rubber disc) across the ice and into the opposing team's goal while preventing the opposing team from scoring. Six players (including the goalkeeper) from each team are on the ice at one time. Two-blade sledges that allow the puck to pass underneath replace skates, and the players use sticks with a spike-end and a blade-end. Therefore, with a quick flip of the wrist, the players are able to propel themselves using the spikes and then play the puck using the blade-end of the sticks. A player may use two sticks with blades in order to facilitate stick handling and ambidextrous shooting. Sledge Hockey games consist of three 15-minute stop-time periods.

WHEELCHAIR CURLING

Curling is a game of great skill and strategy. Wheelchair Curling made its debut at the Torino 2006 Paralympic Games. The sport is generally open to individuals who are non-ambulant or can only walk short distances. This includes athletes with significant impairments in lower leg/gait function i.e., spinal injury, cerebral palsy, multiple sclerosis, double leg amputation etc, who usually require a wheelchair for daily mobility. Each team must be comprised of male and female players. It is governed by and played according to the rules of the World Curling Federation (WCF), with only one modification for wheelchair users - no sweeping - and is practiced by athletes in 16 countries.

Curling is a target sport based on a very simple idea. The players slide a stone down a sheet of ice and have it stop as near the centre of a set of rings, called the house, as possible. The opposing teams will do everything tactically to stop each other from achieving this goal. The game thus contains elements of great skill, strategy, finesse, exertion and endeavor.

Delivery of the stone can be used by the normal hand delivery or by using the extender cue. The introduction of the cue, the end of which is attached to the handle of the stone and then pushed, has allowed athletes with a more severe disability to curl on the same level playing field.

CURLING EN FAUTEUIL ROULANT

Le curling est un jeu d'adresse et de stratégie. Le curling en fauteuil roulant a fait son entrée officielle aux Jeux paralympiques de Turin en 2006. Le sport est généralement ouvert aux personnes qui ne sont pas ambulatoires ou qui peuvent se déplacer sur de courtes distances seulement, ce qui inclut les athlètes ayant une déficience locomotrice sévère (niveau des jambes), une lésion médullaire, une limitation motrice cérébrale, la sclérose en plaques ou ayant subi l'amputation des deux jambes, etc. et qui ont généralement besoin d'un fauteuil roulant pour leurs déplacements dans la vie de tous les jours. Chaque équipe doit être composée d'hommes et de femmes. Le curling en fauteuil roulant est régi et joué selon les règles de la Fédération mondiale de curling (WCF), sauf sur un point : le balayage est interdit. Le curling en fauteuil roulant est pratiqué par des athlètes dans 16 pays.

Le curling est un sport de précision fondé sur une idée très simple. Les joueurs doivent faire glisser une pierre sur une surface de glace de façon à la placer le plus près possible du centre des cercles (la maison). Chaque équipe fait appel à son ingéniosité tactique pour empêcher l'autre d'atteindre ce but. Le jeu nécessite de grandes habiletés, un sens de la stratégie, de la finesse, de la force et de la détermination dans l'effort.

Les joueurs peuvent utiliser leurs mains pour lancer la pierre ou encore une rallonge, dont une extrémité est fixée à la poignée de la pierre. Depuis son introduction, cette rallonge permet aux joueurs ayant un handicap plus sévère de jouer avec d'autres athlètes ayant un handicap moire sévère.

HOCKEY SUR LUGE

Le hockey sur luge est la version paralympique du hockey sur glace. Depuis son apparition au programme paralympique, à Lillehammer en 1994, il est rapidement devenu la principale attraction des Jeux paralympiques d'hiver. Rapide et très physique, ce sport est pratiqué par des athlètes de sexe masculin ayant une limitation fonctionnelle à la partie inférieure du corps. Le hockey sur luge est pratiqué dans environ 10 pays et il est régi par le CIP, via le Comité international de hockey sur glace paralympique. Les règles qui s'appliquent sont les mêmes que celles de la Fédération internationale de hockey sur glace (IIHF), à quelques réserves près. Le Canada, la Norvège, la Suède, la Grande-Bretagne, les États-Unis, le Japon et l'Estonie dominent les compétitions internationales, mais la pratique de ce sport gagne du terrain comme en fait foi la création de nouvelles équipes en Allemagne, aux Pays-Bas, au Danemark, en République Tchèque, en Russie et en Corée.

Comme au hockey sur glace, chaque équipe tente d'évincer l'équipe adverse en lançant la rondelle (un disque de caoutchouc dur) de l'autre côté de la patinoire dans le but de l'opposant, tout en empêchant l'adversaire de compter. Chaque équipe a six joueurs à la fois sur la glace (incluant le gardien de but). Des luges à deux lames conçues pour que la rondelle puisse passer sous la luge remplacent les patins, et les joueurs utilisent des bâtons dotés de crampons à une extrémité et d'une lame à l'autre. Ainsi, un mouvement rapide du poignet permet au joueur de se propulser à l'aide des crampons, puis de frapper la rondelle en utilisant l'extrémité dotée d'une lame. Les joueurs peuvent utiliser deux bâtons dotés d'une lame pour un maniement plus facile et les tirs ambidextres. Le match de hockey sur luge comprend trois périodes de 15 minutes à temps arrêté.

SKI ALPIN

Les athlètes qui participent aux épreuves de ski alpin combinent vitesse et agilité et dévalent les pentes à des vitesses pouvant atteindre, voire dépasser les 100 km/h. Le programme paralympique comprend quatre épreuves, les mêmes qu'aux Jeux olympiques : descente, Super-G, slalom géant et slalom. Le ski alpin est ouvert aux hommes et aux femmes qui ont un handicap comme un traumatisme médullaire, une déficience motrice cérébrale, une amputation, une déficience visuelle ou un autre handicap. Les athlètes sont classés en fonction de leur capacité fonctionnelle, ce qui permet à des athlètes ayant des limitations différentes de se mesurer les uns aux autres. Le ski alpin est régi par le Comité international paralympique via le Comité international paralympique de ski alpin (IPASC), et les règles de la Fédération internationale de ski (FIS) s'appliquent, à quelques réserves près. Les skieurs ayant une déficience visuelle sont dirigés le long du parcours par des guides voyants qui leur donnent des directives verbales. Les athlètes qui ont des limitations physiques utilisent un équipement adapté à leurs besoins, notamment le ski simple, le sit-ski (avec siège) ou des prothèses orthopédiques. Le ski alpin est actuellement pratiqué par des athlètes dans 35 pays et il connaît une croissance constante.

SKI NORDIQUE

Les compétitions de ski nordique sont ouvertes aux athlètes qui ont une handicap physique (catégories ski assis et ski debout) et aux athlètes qui ont une déficience visuelle (qui utilisent un guide). Les Jeux paralympiques d'hiver comprennent deux disciplines, le ski de fond et le biathlon. En ski de fond, les athlètes participent à des épreuves sur des distances allant de 2,5 à 20 kilomètres. Selon l'habileté fonctionnelle de l'athlète, celui-ci skie debout ou assis sur un fauteuil doté de skis. L'athlète ayant une déficience visuelle est assisté par un guide pendant les épreuves.

Le biathlon est un sport disputé le long d'une boucle de 2,5 kilomètres, que les skieurs parcourent trois fois, pour une distance totale de 7,5 kilomètres (courte distance) ou 5 fois pour une distance totale de 12 km (longue distance). Les athlètes s'arrêtent deux ou quatre fois pour des séances de tir pendant l'épreuve. Ils ont droit à cinq tirs et doivent atteindre la cible qui est placée à une distance de dix mètres. Pour chaque cible manquée, un temps de pénalité est ajouté au temps total de l'athlète ou une boucle de pénalité lui est imposée. Le principal facteur de succès est la capacité d'exécuter en alternance deux catégories d'épreuves nécessitant des habiletés différentes.

Le ski nordique est pratiqué par des athlètes dans 24 pays.

Hélène Simard, Yuka Chokyu,
Athens/ Athènes 2004.
photo: Benoit Pelosse

ARCHERY

Archery has been a Paralympic sport since the inception of the Paralympic Games in Rome, Italy in 1960. Archers compete both standing and in a wheelchair in women's and men's categories. The Paralympic program includes singles and team events, and the competition and scoring procedures are identical to those used in the Olympic Games. Team competition is an open competition for both men and women and includes 3 archers of any class (standing or sitting).

The disability profile of athletes who compete in archery includes (but is not limited to) the following: athletes with an amputation(s); athletes who are paralysed (paraplegics and quadriplegics); athletes with cerebral palsy; athletes with other physical disabilities including athletes with progressive diseases such as muscular dystrophy and multiple sclerosis; archers with joint disabilities including stiffness; spina bifida; archers with a combinations of different disabilities; etc.

ATHLETICS

Athletics has been part of the Paralympic Games since 1960. Athletics draws the largest number of competitors and has the largest number of events. Athletics competitions include the following events. Track: 100m, 200m, 400m, 800m, 1500m, 3000m, 5000m, 10000m, 4x100m & 4x400m. Throwing: shot, discus, javelin, club throw. Jumping: long jump, triple jump, high jump. Pentathlon and marathon are also competed.

Athletics events are open to all athletes in all disability classes. However, not all events are offered to all disability classes: for example, athletes with cerebral palsy do not compete in the marathon, 10000m, the high jump or triple jump events but compete in all other track events and all throwing events. The most common types of disabilities among athletes who compete in athletics are visual including blindness, amputation, paraplegia, quadriplegia, and cerebral palsy. Additional less common disabilities of athletes who compete in athletics include (but are not limited to) spina bifida, polio, progressive diseases such as muscular dystrophy and multiple sclerosis, limited joint mobility, combinations of different disabilities, etc.

BOCCIA

Boccia is unique to the Paralympic Games. Strategically, the game of boccia is similar to lawnbowls. Boccia is open to athletes with cerebral palsy, traumatic brain injury, stroke or similar non-progressive conditions. All competitors compete in wheelchairs and some are permitted to us an assistive device (usually a ramp or chute to aid in throwing the ball). Only athletes with a severe disability are eligible to compete in boccia.

CYCLING

Cycling has been part of the Paralympic Games since 1992 although athletes with a disability have been competing in cycling since the early 1980's. Cycling competitions include the following events: Road Events - 100/120km Tandem, 50/60km Tandem, Mixed Tandem 60/70km • Mixed 65/75km, 55/65km, 45/55km; Mixed 5km, Mixed 20km, Mixed 1500km Tricycle, Mixed 5km Tricycle Track Events; Individual Pursuit, 200m Sprint, 1km Individual Time Trial (ITT) In tandem cycling men and women compete separately (except for the mixed tandem 60/70km). However, all other events are mixed.

Cycling events are open to all athletes with physical and visual disabilities. However, not all events are offered to all athletes. Example, tandem competitors (blind and partially sighted athletes) compete in track and road events while athletes with cerebral palsy only compete in road events. Competitors are classified into 4 broad categories with separate events for each: 1. Athletes With Locomotor Disabilities: Cyclists with locomotor disabilities compete in road and track events using bicycles specifically constructed for their needs. 2. Athletes with Cerebral Palsy (CP): Athletes with CP compete in road events only using standard racing bikes and, in some classes, tricycles. 3. Athletes who are Blind and Partially Sighted: Athletes who are blind and partially sighted compete in road and track events using tandem bicycles. Bikes are piloted by a sighted teammate (called a pilot). 4. Handcycling for athletes with spinalcord injuries.

EQUESTRIAN

The object of riding dressage is to improve balance, control, mobility, general fitness, memory and freedom. The objective of the dressage horse is to develop physique and ability harmoniously, making the horse calm, supple, loose and flexible, but also confident, attentive and keen, thus achieving perfect understanding with the rider. In dressage, athletes are required to ride in a specific size arena with markers where they must perform a series of movements in specified patterns or tests. Athletes are judged on accuracy, rhythm, and regularity of the horse's gaits.

Equestrian is a multi-disability sport and is unique among Paralympic sports since men and women compete on the same terms and horse and rider are both declared Paralympic medal winners. Since 2002, all major international competitions have been Own Horse competitions (meaning the horse belongs to the rider or nation.)

Athletes with visual impairment, cerebral palsy, amputation or other physical impairments can compete in Equestrian Sports.

ATHLÉTISME

L'athlétisme est inscrit au programme des Jeux paralympiques depuis 1960. Ce sport est celui qui regroupe le plus grand nombre de participants et qui compte le plus grand nombre d'épreuves. L'athlétisme comprend les disciplines suivantes : La course : 100 m, 200 m, 400 m, 800 m, 1 500 m, 3 000 m, 5 000 m, 10 000 m, 4 x 100 m et 4 x 400 m. Le lancer : poids, disque, javelot, marteau. Le saut : longueur, triple saut, hauteur. Le pentathlon et le marathon compte parmi les épreuves.

Les épreuves d'athlétisme sont ouvertes à tous les athlètes, de toutes les classes de handicap. Certaines épreuves, toutefois, sont réservées à certaines classes de handicap. Ainsi, les athlètes ayant une limitation motrice cérébrale ne participent pas au marathon, au 10 000 m, au saut en hauteur et au triple saut, mais ils peuvent concourir dans toutes les autres épreuves de course et dans toutes les épreuves de lancer. Les catégories de handicap les plus courants parmi les athlètes qui participent aux épreuves d'athlétisme sont : handicap visuel y compris la cécité; l'amputation, la paraplégie, la quadriplégie et déficience motrice cérébrale. Les classes de handicap moins courantes incluent (sans s'y limiter) les catégories suivantes : spina bifida, polio, maladies évolutives telles que la dystrophie musculaire et la sclérose en plaques, mobilité articulaire limitée, combinaison de handicaps, etc.

BASKET-BALL EN FAUTEUIL ROULANT

Le basket-ball en fauteuil roulant est un sport paralympique depuis les premiers Jeux paralympiques, qui ont eu lieu à Rome en 1960. Pour se qualifier, les équipes prennent part à des tournois de qualification avant les Jeux.

Le basket-ball en fauteuil roulant oppose des équipes composées d'athlètes en fauteuil roulant, qui ont un handicap tel que : paraplégie, amputation des membres inférieurs, paralysie motrice cérébrale ou polio. En général, tout athlète incapable de jouer au basket-ball en position debout en raison d'un handicap ou d'une blessure, est admissible au basket-ball en fauteuil roulant. Tous les athlètes admis dans cette discipline ne se déplacent pas nécessairement en fauteuil roulant dans la vie de tous les jours.

BOCCIA

Le boccia est un sport exclusif aux Jeux paralympiques. Du point de vue stratégique, le boccia est similaire au boulingrin. Le boccia est ouvert à tous les athlètes ayant une défiance motrice cérébrale, de blessure traumatique du cerveau, d'accident vasculaire cérébral ou d'autres maladies non évolutives. Tous les concurrents sont en fauteuil roulant et certains sont autorisés à un accessoire fonctionnel (comme une rampe ou une chute pour les aider à lancer la boule). Seuls les athlètes ayant un handicap sévère sont admissibles au boccia.

CYCLISME

Les compétitions pour athlètes ayant un handicap ont commencé au début des années 1980, mais le cyclisme ne figure au programme des Jeux paralympiques que depuis 1992. Les compétitions de cyclisme comprennent des épreuves sur route : 100-120 km tandem masculin, 50-60 km tandem feminin, tandem mixte 60-70 km • mixte 65-75 km, 55-65 km, 45-55 km; mixte 5 km, mixte 20 km, mixte 1 500 km tricycle, mixte 5 km tricycle; et des épreuves sur piste: poursuite individuelle, 200 m sprint, 1 km contre-la-montre individuel (CLMI). En tandem, les hommes et les femmes concourent séparément (sauf en tandem mixte 60-70 km). Toutes les autres épreuves sont mixtes.

Les épreuves de cyclisme sont ouvertes à tous les athlètes ayant un handicap physique ou visuel, mais tous les athlètes ne peuvent pas participer à toutes les épreuves. Ainsi, les concurrents en tandem (non voyants et partiellement voyants) participent aux épreuves sur piste et sur route, tandis que les athlètes ayant une limitation motrice cérébrale ne participent qu'aux épreuves sur route. Les concurrents sont répartis en quatre catégories générales, auxquelles sont associées des épreuves distinctes : 1. Les cyclistes ayant un handicap locomoteur participent aux épreuves sur piste et sur route sur des bicyclettes spécialement adaptées à leurs besoins. 2. Les athlètes ayant une limitation motrice cérébrale (IMC) participent seulement aux épreuves sur route sur des bicyclettes de course standard ou, dans certaines classes, sur des tricycles. 3. Les athlètes non voyants et partiellement voyants concourent sur route et sur piste sur des tandems pilotés par un coéquipier voyant (appelé le pilote). 4. Cyclisme desmains pour les athlètes ayant une paralysie du rachis.

DYNAMOPHILIE

La dynamophilie est devenue un sport paralympique lors de la deuxième édition des Jeux paralympiques, à Tokyo en 1964. Ce sport est exclusif aux Jeux paralympiques et il ne comprend que le développé couché. Les femmes ont participé pour la première fois à des compétitions paralympiques de dynamophilie lors des Jeux paralympiques de 2000, à Sydney, en Australie.

La dynamophilie est ouverte à tous, en ce sens que tous les athlètes se mesurent les uns aux autres, indépendamment de leur handicap. Satisfont aux critères d'admissibilité les athlètes qui ont une paralysie, qui ont une limitation motrice cérébrale, qui ont subi l'amputation d'un ou des deux membres inférieurs, dont un ou les deux membres inférieurs sont raccourcis, qui ont subi le remplacement d'une articulation ou qui ont des articulations bloquées au niveau des membres inférieurs, notamment des fesses, des hanches, des cuisses, des jambes, des chevilles et des pieds. Tous les dynamophiles se mesurent les uns aux autres, sans égard à leur handicap réel, dans le cadre de compétitions dites ouvertes (c'est-à-dire ouvertes à tous les athlètes qui satisfont aux critères d'admissibilité).

FENCING

Wheelchair fencing became a Paralympic sport in Rome in 1960. Sine then, the rules have been gradually adapted according to advances in techniques used in fixing the wheelchair to the ground. Male fencers compete in epee, foil and sabre while female fencers compete in epee and foil. Male and female fencers also compete in open team events in epee and foil. During competition the athlete's wheelchair is fastened to the floor by a device which allows free movement of the upper body only. No fencer is permitted to compete in more than two different weapons in either team or individual events. A team is comprised of 3 fencers from the same country and must include at least one category B fencer.

In order to compete in fencing at the Paralympic Games athletes must compete while sitting in a wheelchair. Athletes who have had a spinal cord injury (quadriplegic and paraplegic), athletes with lower leg amputations, athletes with cerebral palsy and athletes with other physical disabilities which require the use of a wheelchair are all eligible to compete in wheelchair fencing.

FOOTBALL

A variant of soccer, football is played by five or seven athletes.

Football 5-a-Side is open to athletes with visual impairment, with the possibility of one sighted player as goalkeeper. Each game lasts 50 minutes. Rules are the same as Olympic football with certain modifications; the ball makes a noise when it moves, the goalkeeper may act as guide during the game, the rest of the team uses eye patches and eyeshades, the field of play is smaller and there is no offside rule. It is practiced by athletes in 21 countries. Football 5-a-Side made its debut at the Athens 2004 Paralympic Games.

Football 7-a-Side has been part of the Paralympic programme since the New York/Stoke Mandeville Games in 1984. The sport is governed by the Cerebral Palsy International Sports and Recreation Association (CP-ISRA) and following the rules of the (FIFA), with some modifications. There are seven players per team rather than eleven, the field of play is smaller and there is no offside rule and throw-ins may be made with one hand. Five regions now compete internationally and the number of countries continues to grow.

GOALBALL

Goalball is open to athletes who are blind and partially sighted. While goalball competitors with varying degrees of sight compete together in open competition all competitors are required to wear "black-out" masks. The masks ensure that none of the competitors have any light perception or vision and as such compete on an equal footing in spite of varying degrees of sight.

Goalball is a team sport for men and women. A team is comprised of six players with no more than three players per team on the court at any one time. The object of the game is to score goals by rolling a ball (called a goalball) using a bowling action toward the opposing team's goal, which spans the entire width of the court. Players (1 centre and 2 wingers) attempt to prevent the goalball from crossing the goal line. Goalballs weighing 1.25kg and containing noise bells along with raised lines on the court help orient the players. Games last 14 minutes, with two 7 minute halves and a 3 minute half time. A total of 12 men's teams and 8 women's teams compete at Paralympic Games. The competition consists of a round robin tournament from which four teams emerge as semi-finalists.

JUDO

Judo is a combative sport based on throwing techniques and ground holds which include hold downs, arm locks, and choke holds. No kicking or punching is involved. The judo competition is an open competition for blind and partially sighted athletes only. The key elements of judo are balance, touch, sensitivity and instinct; all qualities which are highly developed in the blind. Judo became a Paralympic sport at the 1988 Paralympics in Seoul, Korea. The Competitors Judo is an open competition for athletes who are blind and partially sighted and who meet the IBSA general classification guidelines. All blind and partially sighted athletes compete together in one class in the appropriate weight category regardless of classification. Example, a blind athlete (B1) will compete against partially sighted athletes (B3 or B2) provided they are in the same weight category.

POWERLIFTING

Powerlifting became a Paralympic Games sport at the 2nd Paralympic Games in Tokyo in 1964. It is unique to the Paralympic Games and involves bench press only. Women will compete in powerlifting for the first time at the 2000 Summer Paralympic Games in Sydney, Australia.

Powerlifting is an open class meaning all athletes regardless of their disability lift against one another. Examples of the type of disabilities that meet the eligibility criteria include: paralysis, cerebral palsy, lower limb amputations, shortened lower limbs, joint replacement and frozen joints of the lower limbs including the buttocks, hip, thigh, leg, ankle and foot. All lifters regardless of their actual disability lift against one another in what is called an open competition (i.e., open to all athletes that meet the eligibility criteria).

ROWING

In adaptive rowing, the equipment is "adapted" to the user to practice the sport, rather than the sport being "adapted" to the user. The sport was introduced to the Paralympic programme in 2005 and will hold its first Paralympic competitions at the Beijing 2008 Paralympic Games. Adaptive Rowing is open to male and female athletes, and is currently divided into four boat classes which are part of International Rowing Federation's World Champions programme. Races are held over 1000 metres for all events.

SAILING

Sailing is open to all athletes with a disability including: spinal paralysed athletes, amputees, athletes with cerebral palsy, blind and partially sighted athletes, athletes with progressive diseases such a muscular dystrophy and multiple sclerosis and other disabilities such as polio and spina bifida. Sailors compete in one of two classes of sailboat, either singlehanded (2.4mR) or crew boat (Sonar) at the Paralympic Games. Competitors in the 2.4mR class may be eligible at any level within the classification system. A Sonar crew can consist of 3 sailors with very different disabilities provided their classification points do not exceed the maximum point score of 12.

SHOOTING

Shooting became a Paralympic Games sport in 1980 during the 6th Paralympic Games in Arnhem, The Netherlands. The shooting competition is divided into rifle and pistol events, air and .22 calibre. Athletes shoot from three positions: standing or sitting, kneeling and prone. The program includes men's, women's, mixed and team events although team events are not held at the Paralympic Games.

Shooting is open to athletes with a physical disability. Competitors can include athletes who are spinal paralyzed (paraplegic and quadriplegic), athletes with cerebral palsy, athletes who are amputees, athletes with progressive illnesses such muscular dystrophy or multiple sclerosis, etc.

SWIMMING

Swimming has been a Paralympic Games event since the first games were held in Rome in 1960. It is one of the largest and most popular competitive events in the Paralympic Games. Athletes compete in freestyle, backstroke, butterfly, breaststroke, individual medley and relay. Although not all events are offered to all athletes, events at Paralympic Games are as follows: Freestyle: 50m, 100m, 200m, 400m Backstroke: 50m, 100m Breaststroke: 50m, 100m Butterfly: 50m, 100m Individual Medley: 150m, 200m Relays: Freestyle and Medley Swimming is one of the longest standing sports for athletes with a disability, and next to athletics, is an event that attracts the largest number of competitors. World records of partially sighted swimmers closely match those of their able-bodied peers.

The events are grouped into three swimming programs to include the following groups of swimmers with a disability: 1. A "functional" program comprised of swimmers with spinal cord injuries, swimmers with cerebral palsy, swimmers with amputations and others swimmers including those with progressive diseases such a muscular dystrophy and multiple sclerosis, dwarfs, swimmers with joint disabilities including stiffness, spina bifida, swimmers with a combinations of different disabilities, etc; 2. blind and partially sighted swimmers.

ESCRIME

L'escrime en fauteuil roulant fait partie du programme des Jeux paralympiques depuis les Jeux de 1960 à Rome. Au fil du temps, les règlements ont été graduellement adaptés parallèlement à la progression des techniques utilisées pour fixer le fauteuil roulant au sol. Les escrimeurs participent à l'épée, au fleuret et au sabre, et les escrimeuses, à l'épée et au fleuret. Les hommes et les femmes participent aussi à des épreuves ouvertes par équipe, à l'épée et au fleuret. Pendant les compétitions, les fauteuils roulants sont fixés au sol à l'aide d'un dispositif qui n'alloue de liberté de mouvement qu'à la partie supérieure du corps. Aucun escrimeur n'a le droit de s'inscrire à des épreuves faisant appel à plus de deux armes différentes, autant dans les épreuves individuelles que dans les épreuves par équipe. Une équipe est composée de trois escrimeurs du même pays, dont un appartenant à la catégorie B.

Pour participer aux compétitions d'escrime aux Jeux paralympiques, les athlètes doivent être assis dans un fauteuil roulant. Les athlètes qui ont subi un traumatisme de la colonne vertébrale (quadriplégiques et paraplégiques), les athlètes amputés sous les genoux, les athlètes ayant une déficience motrice cérébrale et les athlètes ayant d'autres handicaps physiques se déplaçant en fauteuil roulant sont admissibles aux compétitions d'escrime en fauteuil roulant.

FOOTBALL

Variante du « soccer », le football oppose des équipes composées de cinq ou sept joueurs.

Le football à cinq est pratiqué par des athlètes ayant une déficience visuelle, auxquels peut s'ajouter un gardien de but voyant. Chaque partie dure 50 minutes. Les règles sont les mêmes qu'au football olympique, avec quelques aménagements : la balle émet un son quand elle se déplace, le gardien de but peut faire office de guide pendant la partie, les autres membres de l'équipe portent des bandeaux ou des lunettes opaques, le terrain de jeu est plus petit et il n'y a pas de hors-jeu. Pratiqué dans 21 pays, le football à 5 a fait son entrée officielle comme sport paralympique aux Jeux d'Athènes en 2004.

Le football à 7 est inscrit au programme des Jeux paralympiques depuis les Jeux de New York-Stoke Mandeville en 1984. Ce sport est régi par la Cerebral Palsy International Sports and Recreation Association (CP-ISRA) et il suit les règles de la FIFA, avec quelques aménagements : chaque équipe compte sept joueurs, plutôt que onze, le terrain de jeu est plus petit, il n'y a pas de hors-jeu et les lancers peuvent être faits d'une seule main. À l'heure actuelle, cinq régions s'affrontent à l'échelle internationale et le nombre des pays représentés aux compétitions ne cesse d'augmenter.

GOALBALL

Le goalball est ouvert aux athlètes non voyants et partiellement voyants. Le degré de déficience visuelle n'étant pas le même pour tous les joueurs, tous doivent porter un masque opaque. Ce masque permet de s'assurer que tous les joueurs ont une perception visuelle nulle, en dépit de leurs niveaux divers de déficience visuelle.

Le goalball est un sport d'équipe ouvert aux hommes et aux femmes. Une équipe se compose de six joueurs, mais une équipe n'a jamais plus de trois joueurs en même temps sur le terrain. L'objectif du jeu est de marquer des buts en faisant rouler un ballon (appelé goalball) comme une boule de quille en direction du but adverse, qui s'étend sur toute la largeur du terrain. Les joueurs de chaque équipe (1 centre et 2 ailiers) essaient d'empêcher le ballon de traverser leur ligne de but. Le ballon pèse 1,25 kg et il contient des clochettes. Ce sont ces clochettes et les lignes en saillie du terrain qui aident les joueurs à s'orienter. Une partie dure 14 minutes et est divisée en deux périodes de 7 minutes chacune, séparées par une mi-temps de 3 minutes. Douze équipes masculines et huit équipes féminines participent aux Jeux paralympiques. La compétition consiste en un tournoi à la ronde, à l'issue duquel les quatre meilleures équipes s'affrontent en demi-finale.

JUDO

Le judo est un sport de combat qui comprend des techniques de projection et de prise au sol, notamment des immobilisations, des clefs de bras et des étranglements. Aucun coup de pied ni coup de main n'est porté. Le judo est un sport ouvert aux hommes et aux femmes non voyants et partiellement voyants. Les éléments clés du judo sont l'équilibre, le toucher, la sensibilité et l'instinct, toutes qualités qui sont très développées chez les athlètes non voyant. Le judo est devenu un sport paralympique aux Jeux paralympiques de 1988, à Séoul, en Corée. Les judokas doivent satisfaire aux normes générales de classification de l'AISA . Tous les athlètes non voyants et partiellement voyants sont rangés dans une seule classe et se mesurent les uns aux autres selon leur catégorie de poids seulement, sans égard à la classification. Ainsi, un athlète aveugle (B1) peut affronter des athlètes partiellement voyants (B3 ou B2), à condition que tous soient dans la même catégorie de poids.

NATATION

La natation est un sport inscrit au programme des Jeux paralympiques depuis la première édition de ces Jeux, à Rome en 1960. La natation est l'une des disciplines les plus populaires et les plus importantes des Jeux paralympiques. La natation comprend des épreuves dans les catégories suivantes : style libre, dos, papillon, brasse, quatre nages individuel et relais. En natation paralympique, les épreuves incluses au programme des Jeux sont les suivantes : Style libre : 50 m, 100 m, 200 m, 400 m; Dos : 50 m, 100 m; Brasse : 50 m, 100 m; Papillon : 50 m, 100 m; Quatre nages individuel : 150 m, 200 m; Relais : style libre et quatre nages. Il demeure, toutefois, que tous les athlètes ne sont pas admissibles à toutes les épreuves. La natation est l'un des sports les plus anciens auxquels peuvent participer les athlètes ayant un handicap et elle est la discipline qui, après l'athlétisme, attire le plus grand nombre de concurrents. Les records mondiaux des nageurs ayant une déficience visuelle et des nageurs ayant un handicap intellectuel sont très proches des records de leurs pairs non handicapés.

Les épreuves sont réparties en trois programmes à l'intention des trois groupes suivants de nageurs ayant un handicap : 1. Un programme pour les nageurs ayant un « handicap fonctionnel », comme les athlètes ayant un traumatisme médullaire, ayant une limitation musculaire cérébrale ou amputés, les nageurs ayant une maladie évolutive telle que la dystrophie musculaire ou la sclérose en plaques, les nageurs de petite taille, les nageurs ayant un handicap articulaire dont la raideur, les nageurs ayant le spina bifida, les nageurs ayant une combinaison de handicaps, etc.; 2. Un programme pour les nageurs non voyants et malvoyants; et 3. Un programme pour les nageurs ayant d'un handicap intellectuel.

RUGBY EN FAUTEUIL ROULANT

Le rugby en fauteuil roulant est un sport exclusif aux Jeux paralympiques. Créé dans les années 1970 à Winnipeg, au Canada, par des personnes devenues quadriplégiques à la suite d'un traumatisme médullaire au niveau du cou, il est le sport en fauteuil roulant qui connaît la croissance la plus rapide au monde. Aux Jeux paralympiques de 1996 à Atlanta, le rugby en fauteuil roulant était une épreuve de démonstration. En 2000, lors des Jeux paralympiques de Sydney, le rugby a fait son entrée officielle au programme des Jeux paralympiques.

Le rugby en fauteuil roulant est joué par des athlètes quadriplégiques (fonction motrice limitée ou inexistante des quatre membres ou du 3 des 4 membres et du tronc). Par conséquent, ce sport pourrait inclure des athlètes ayant un handicap résultant d'un traumatisme médullaire, de la polio, d'une paralysie cérébrale, d'une maladie évolutive comme la dystrophie musculaire ou la sclérose en plaques, etc.

Le rugby en fauteuil roulant est un sport joué à l'intérieur par deux (2) équipes de quatre (4) joueurs (hommes ou femmes). Tous les joueurs doivent utiliser un fauteuil roulant manuel et satisfaire aux normes de classification de la Wheelchair Rugby Federation (IWRF). Chaque équipe cherche à marquer des points en touchant ou en traversant la ligne de but de l'équipe adverse tout en gardant le ballon en sa possession. Les joueurs portent le ballon, dribblent ou passent le ballon de volley-ball tout en évoluant vers la zone de but adverse. Le joueur en possession du ballon doit dribbler ou faire une passe au moins une fois toutes les dix secondes. Un but est marqué lorsque le joueur en possession du ballon touche la ligne de but avec deux roues. L'équipe gagnante est celle qui a marqué le plus de points à la fin de la partie. Une partie est composée de quatre quarts de huit minutes chacun, en temps arrêté. Les dimensions du terrain correspondent aux dimensions réglementaires d'un terrain de basket-ball. Cependant, seules les lignes de touche et de fond ainsi que la ligne centrale et le cercle central sont nécessaires.

TABLE TENNIS

Table tennis has been a Paralympic sport since the first Paralympic Games in Rome in 1960. Table tennis is played in over 50 IPC countries and in terms of the number of participating athletes is the 4th largest Paralympic Games sport behind athletics, swimming and powerlifting. Table tennis competitions take two forms at the Paralympic Games: standing and wheelchair events (sitting). Individual and team men's and women's events are included in the program.

Competitors can include athletes with upper and lower limb paralysis; athletes with cerebral palsy or who are amputees; and athletes with other physical disabilities including spina bifida, polio, muscular dystrophy, multiple sclerosis, etc. Athletes with physical disabilities compete together in classes 1 though 10 according to their functional ability. Example, a wheelchair athlete with cerebral palsy could compete in the same class as an athlete who is spinal paralysed or who is a double above knee amputee. All athletes with an intellectual disability regardless of degree of disability compete together in class 11.

TENNIS

Tennis is one of the most popular sports at the Paralympic Games. The only difference from traditional tennis is that in wheelchair tennis the ball can bounce twice on the court before being returned. The size of the tennis court and height of the net are the same as in traditional tennis. Wheelchair tennis was a demonstration sport at the 1988 Seoul Paralympic Games and became a full medal sport at the 1992 Barcelona Paralympic Games.

Tennis is an open competition for men and women in singles and doubles competition. All competitors must compete using a wheelchair and be medically diagnosed with a permanent mobility-related physical disability. Examples of permanent mobility-related disabilities that meet the eligibility criteria include: paralysis of one or both lower limbs, lower limb amputations, shortened lower limbs, joint replacement and frozen joints of the lower limbs including the buttocks, hip, thigh, leg, ankle and foot, etc.

SITTING VOLLEYBALL

Sitting Volleyball was introduced at the Arnhem 1980 Paralympics. In 2006, there are 48 countries practicing the sport. A high level of teamwork, skill, strategy and intensity is needed. Each team's goal is to pass the ball over the net and to touch the ball on the ground of the opposing team's side. Male and female athletes with a physical disability are eligible to participate and must fulfil the conditions of a minimum degree of disability. Teams consist of mixed classes in male and female events, with six on court at one time. At all times the athlete's pelvis must touch the ground and the service block is allowed. Because Sitting Volleyball requires a smaller court (10m x 6m) and lower net, the game is considerably faster than the standing event. The game lasts up to five sets and the winning team is the first to win three sets. The team winning the set is the one to reaches 25 points, with at least a two-point lead.

Standing volleyball is not part of the Paralympic Games at this time.

WHEELCHAIR BASKETBALL

Wheelchair basketball has been a Paralympic sport since the first Paralympic Games in Rome in 1960. Teams qualify for competition at the Paralympic Games via qualification tournaments held in advance of the Paralympic Games

Wheelchair basketball is played by athletes using wheelchairs and whose disabilities may include paraplegia, lower limb amputations, cerebral palsy and polio. In general, any individual who is unable to participate in stand-up basketball as a result of a disabling condition, injury, etc. is eligible to play wheelchair basketball. Not all athletes who compete in wheelchair basketball will use a wheelchair for daily living.

WHEELCHAIR RUGBY

Wheelchair rugby is unique to the Paralympic Games. It was invented in the 1970's in Winnipeg, Canada by persons who had become quadriplegics as a result of spinal cord injury to the neck. It is believed to be the fastest growing wheelchair sport in the world. After being a demonstration event in 1996 at the Paralympics in Atlanta, wheelchair rugby became a full medal sport in 2000 during the Sydney Paralympic Games.

Wheelchair rugby is an indoor team game played by two (2) teams of four (4) players each (male or female). All players must play the game in a manual wheelchair and be classified according to the International Wheelchair Rugby Federation (IWRF) classification rules. The purpose of the game is for players to score goals by touching or crossing the opponent's goal line while maintaining possession of the ball. Using volleyball, players carry, dribble or pass the ball while moving toward the opponent's goal area. The player in possession of the ball must dribble or pass at least once every ten seconds. A goal is scored when a player in control of the ball touches the goal line with two wheels. The team with the greatest point total upon completion of the game is declared the winner. A game is comprised of four eight minute quarters, stop time. The playing court has the same dimensions as a regulation basketball court; however, only the side, end and centre lines and the centre circle need appear.

SPORTS ÉQUESTRES

Le dressage a pour objet d'améliorer l'équilibre, la maîtrise, la mobilité, la condition physique générale, la mémoire et l'aisance du cavalier, d'une part, et de développer harmonieusement l'allure et les capacités physiques du cheval, ainsi que son calme, sa souplesse, son aisance et son agilité, sans oublier son assurance, son attention et sa finesse, le but visé étant une communication parfaite entre le cavalier et sa monture. En dressage, les athlètes concourent sur une piste délimitée par des marqueurs, où ils exécutent une série de mouvements et de figures enchaînés selon un ordre spécifique. Les athlètes sont jugés en fonction du rythme et de la régularité de l'allure comme de la précision de l'exécution.

L'équitation occupe une place unique parmi les sports paralympiques, du fait que les compétitions sont ouvertes aux hommes et aux femmes selon les mêmes conditions et que les médailles paralympiques sont attribuées au cavalier et à sa monture. Depuis 2002, toutes les compétitions internationales d'envergure sont des compétitions cheval-propriétaire (ce qui signifie que le cheval appartient au cavalier ou à la nation représentée).

Les athlètes qui ont une déficience visuelle, qui ont une limitation motrice cérébrale, subi une amputation ou qui ont d'autres limitations physiques peuvent participer aux épreuves hippiques.

TENNIS

Le tennis est l'un des sports les plus populaires des Jeux paralympiques. Le seul règlement qui différencie le tennis en fauteuil roulant du tennis pour athlètes non handicapés est que la balle peut rebondir deux fois avant d'être retournée. Les dimensions du court et la hauteur du filet sont les mêmes qu'au tennis traditionnel. Sport de démonstration aux Jeux paralympiques de Séoul de 1988, le tennis en fauteuil roulant a fait son entrée officielle au programme des Jeux paralympiques en 1992, aux Jeux de Barcelone.

Le tennis est ouvert aux hommes et aux femmes et il comporte des épreuves en simple et en double. Tous les concurrents doivent jouer en fauteuil roulant et avoir reçu un diagnostic de handicap physique moteur permanent. Les handicaps physiques moteurs permanents conformes aux critères d'admissibilité incluent : la paralysie d'un ou des deux membres inférieurs, l'amputation d'un membre inférieur, des membres inférieurs raccourcis, des articulations remplacées ou bloquées au niveau des membres inférieurs, incluant les fesses, les hanches, les cuisses, les chevilles et les pieds, etc.

TENNIS DE TABLE

Le tennis de table est un sport inscrit au programme des Jeux paralympiques depuis la première édition de ces Jeux, à Rome en 1960. Le tennis de table est un sport pratiqué dans plus de 50 pays du CIP et il vient au quatrième rang des sports paralympiques pour ce qui est du nombre de participants, après l'athlétisme, la natation et la dynamophilie. Les compétitions de tennis de table paralympique comprennent deux types d'épreuves : debout et en fauteuil roulant (position assise). Le programme comprend des épreuves individuelles et par équipe, chez les hommes et chez les femmes.

Les classes de handicap incluent la paralysie des membres supérieurs et inférieurs, limitation musculaire cérébrale ou l'amputation, d'autres handicaps physiques dont le spina bifida, la polio, la dystrophie musculaire, la sclérose en plaques, etc. Les athlètes ayant un handicap physique concourent les uns contre les autres dans les classes 1 à 10, selon leur capacité fonctionnelle. Ainsi, un athlète en fauteuil roulant ayant la paralysie cérébrale peut concourir dans la même classe qu'un athlète ayant d'une paralysie du rachis ou amputé des deux jambes au-dessus des genoux.

TIR

Le tir a fait son entrée officielle aux Jeux paralympiques en 1980 lors des 6e Jeux paralympiques, à Arnhem, aux Pays-Bas. La compétition de tir comprend des épreuves de tir à la carabine et de tir au pistolet, à air et de calibre .22. Les athlètes utilisent trois positions de tir : debout ou assis, à genoux et à plat ventre. Le programme inclut des épreuves masculines, féminines, mixtes et par équipe, mais cette dernière catégorie n'est pas inscrite aux Jeux paralympiques.

Le tir est ouvert aux athlètes ayant un handicap physique. Les concurrents peuvent avoir une paralysie du rachis (paraplégiques et quadriplégiques), une déficience motrice cérébrale, être amputés, avoir une maladie évolutive telle que la dystrophie musculaire ou la sclérose en plaques, etc.

TIR À L'ARC

Le tir à l'arc est un sport paralympique depuis la première édition des Jeux paralympiques à Rome, Italie, en 1960. Il existe des compétitions pour les hommes et pour les femmes et les archers ou archères concourent en position debout ou en position assise (athlètes en fauteuil roulant). Le programme paralympique comprend des épreuves individuelles et par équipe et les procédures de compétition et de marquage des points sont identiques à celles des Jeux olympiques. Les compétitions par équipe sont ouvertes aux hommes et aux femmes et les équipes comptent 3 archers ou archères pouvant appartenir à l'une ou l'autre des deux classes (assise ou debout).

Les athlètes ayant un handicap qui participent aux compétitions de tir à l'arc présentent des profils divers : athlètes ayant subi une amputation; athlètes ayant un blessure médulaire (paraplégie et quadriplégie); athlètes ayant une déficience motrice cérébrale; athlètes ayant d'autres limitations physiques pouvant être liées à des maladies évolutives telles que la dystrophie musculaire et la sclérose en plaques; archers ayant des limitations articulaires dont la raideur; athlètes ayant de spina-bifida; archers présentant une combinaison de handicaps; etc.

VOLLEYBALL ASSIS

Le volley-ball en position assise a fait son entrée aux Jeux paralympiques d'Arnhem en 1980. En 2006, 48 pays sont représentés dans cette discipline très exigeante à plus d'un égard : travail d'équipe, habiletés, sens de la stratégie et intensité sont nécessaires. Le but de chaque équipe est de faire tomber le ballon dans la zone adverse en le faisant passer par-dessus le filet. Ce sport est ouvert aux athlètes, hommes et femmes, qui présentent un handicap conforme aux normes. Les équipes regroupent des classes mixtes dans les épreuves féminines et masculines, et elles ont six joueurs sur le terrain en tout temps. Le bassin des joueurs doit toujours être en contact avec le sol, et il est permis de bloquer le service. Parce que les dimensions du terrain sont réduites (10m x 6m) et que le filet est plus bas, le jeu est considérablement plus rapide qu'au volley-ball dit « debout ». Une joute comprend cinq manches, l'équipe victorieuse étant la première qui remporte trois manches. Une équipe gagne une manche quand elle cumule 25 points, avec une avance de deux points.

Présentement, le volleyball debout n'est pas au programme des Jeux paralympiques.

VOILE

La voile est ouverte à tous les athlètes ayant un handicap, incluant les athlètes ayant une paralysie du rachis, les amputés, les athlètes ayant une limitation motrice cérébrale, les athlètes non voyants et malvoyants, les athlètes ayant une maladie évolutive comme la dystrophie musculaire et la sclérose en plaques ou ayant d'autres handicaps tels que la polio et le spina bifida. Aux Jeux paralympiques, les navigateurs sont répartis en deux classes selon le type de voilier : la classe (2.4mR) pour navigation en solitaire et la classe Sonar pour navigation en équipage. Les concurrents en classe 2.4mR peuvent appartenir à n'importe quelle catégorie à l'intérieur du système de classification. En classe Sonar, les trois navigateurs qui composent l'équipage peuvent présenter des handicaps très différents, sous réserve que le total de leurs points de classification ne dépasse pas la limite maximale de 12 points.

WHO CAN COMPETE?

PARALYMPIC SUMMER SPORTS

Type of Disability	Amputee	Spinal Cord	Cerebral Palsy	Visual Impairment	Les Autres (MS, MD, Polio, SB)
Athletics*	√	√	√	√	√
Archery	√	√	√		√
Basketball	√	√	√		√
Boccia	√	√	√		√
Cycling	√	√	√	√	
Equestrian	√	√	√	√	
Fencing	√	√	√		
Football			√	√	
Goalball				√	
Judo				√	
Powerlifting	√	√	√		
Rugby		√	√		√
Rowing	√	√	√	√	√
Sailing	√	√	√	√	√
Shooting**	√	√	√		√
Swimming	√	√	√	√	
Table Tennis	√	√	√		√
Tennis**	√	√			
Volleyball	√	√	√		√

* Not all events are offered to all disability classes.   **The eligibility requirement is a permanent substantial or total loss of function in one or both legs.

For further details of sport classifications please refer to: www.paralympic.ca

QUI PEUT PARTICIPER AUX COMPÉTITIONS?

SPORTS PARALYMPIQUES D'ÉTÉ

Type de déficience	Amputation	Lésion médullaire	Limitation motrice cérébrale	Déficience visuelle	Autres (SEP, DM, Polio, SB)
Athlétisme*	√	√	√	√	√
Aviron	√	√	√	√	√
Basket-ball	√	√	√		√
Boccia	√	√	√		
Cyclisme	√	√	√	√	
Dynamophilie	√	√	√		
Escrime	√	√	√		
Football			√	√	
Goalball				√	
Judo				√	
Natation	√	√	√	√	
Rugby	√	√	√		√
Sports équestres	√	√	√	√	
Tennis**	√	√			
Tennis de table	√	√	√		√
Tir**	√	√	√		√
Tir à l'arc	√	√	√		√
Voile	√	√	√	√	√
Volley-ball	√	√	√		√

* Toutes les épreuves ne sont pas ouvertes à toutes les classes de handicap.   **Pour satisfaire au critère d'admissibilité, l'athlète doit avoir une perte fonctionnelle substantielle permanente ou totale d'une ou des deux jambes.

Pour plus d'information au sujet de la classification, allez à : www.paralympique.ca

Type of Disability	Amputee	Spinal Cord	Cerebral Palsy	Visual Impairment	Other (MS, MD, Polio, SB)
Alpine Skiing	√	√	√	√	√
Nordic Skiing	√	√	√	√	√
Sledge Hockey	√	√	√		√
Wheelchair Curling*	√	√	√		√

Not all events are offered to all disability classes.   *The eligibility requirement is a permanent substantial or total loss of function in one or both legs.

For further details of sport classifications please refer to: www.paralympic.ca

ATHLETE CLASSIFICATION

Classification is simply a structure for fair and equitable sport among athletes with varying degrees of disability. Not unlike wrestling, boxing and weightlifting, where athletes are categorized by weight classes, athletes with disabilities are grouped in classes defined by the degree of function presented by the disability.

Classification is a process that includes assessment and observation by medical and sport-specific technical experts (called classifiers) to determine which group an athlete will compete. In determining the class, classifiers take into consideration an athlete's disability along with the physical demands, movements and skills required of their sport. Some sport classification rules also require classifiers to observe athletes in a competitive situation to determine their practical capabilities. Once an athlete completes the required movements and/or is observed in a practical setting by classifiers, he/she is assigned a competition classification or "class". It is this class that determines the competitors against whom the athlete will compete, and in some instances, an athlete's eligibility for rule and equipment adaptations.

SPORTS PARALYMPIQUES D'HIVER

Type de déficience	Amputation	Lésion médullaire	Limitation motrice cérébrale	Déficience visuelle	Autres (SEP, DM, Polio, SB)
Curling en fauteuil roulant*	√	√	√		√
Hockey sur luge	√	√	√		√
Ski alpin	√	√	√	√	√
Ski nordique	√	√	√	√	√

Toutes les épreuves ne sont pas ouvertes à toutes les classes de handicap. *Pour satisfaire au critère d'admissibilité, l'athlète doit avoir une perte fonctionnelle substantielle permanente ou totale d'une ou des deux jambes.

Pour plus de l'information plus détaillée au sujet de la classification, allez à : www.paralympique.ca

CLASSIFICATION DES ATHLÈTES

La classification est un système conçu pour assurer des compétitions équitables entre athlètes présentant divers niveaux de handicap. Comme pour les lutteurs, les boxeurs et les haltérophiles, qui sont assujettis à un système de classification par classe de poids, les athlètes ayant un handicap sont classés en fonction du niveau de limitation fonctionnelle associé à leur handicap.

La classification est un processus qui inclut une évaluation et des observations faites par des experts du domaine médical et des experts techniques du sport concerné (appelés les classificateurs); ces derniers déterminent le groupe des athlètes qui participent à des compétitions. À cette fin, ils prennent en considération le handicap de chaque athlète ainsi que les exigences physiques, les mouvements et les habiletés requises par sa discipline. Dans certains sports, les règles de classification stipulent que les classificateurs doivent aussi observer l'athlète en situation de compétition pour déterminer ses capacités réelles. Une fois que l'athlète a exécuté les mouvements requis ou qu'il a été observé en situation réelle par les classificateurs, une catégorie ou une « classe » lui est assignée, classe qui détermine à quels concurrents il doit se mesurer et, dans certains cas, à quelles adaptations des règles ou de l'équipement il est admissible.

CPC National Office
85 Albert St., Suite 1401
Ottawa, Ont. K1P 6A4
Tel: 613-569-4333
Fax: 613-569-2777
Email: feeltherush@paralympic.ca

Vancouver Office
385 Gravely St., 7th Floor
Vancouver, BC   V5K 5J5
Tel: 604-678-6240
Fax: 604-678-2554

You can also find us at:

www.paralympic.ca

To find out how to participate
in Paralympic Sport:
www.paralympic.ca/feeltherush

Bureau national du CPC
85, rue Albert, Bureau 1401
Ottawa, Ont K1P 6A4
Tél. : 613-569-4333
Télec : 613-569-2777
Courriel : vivezladrenaline@paralympique.ca

Bureau de Vancouver
3585 rue Gravely, 7e étage
Vancouver, CB   V5K 5J5
Tél. : 604-678-6241
Télec : 604-678-2554

Vous pouvez aussi nous visiter à ;

www.paralympique.ca

Pour plus d'information sur la façon de participer
au sport paralympique, allez à :
www.paralympique.ca/vivezladrenaline